The First Europeans:
Treasures from the Hills of Atapuerca

Los primeros europeos:
Tesoros de la Sierra de Atapuerca

Junta de
Castilla y León

TesoroS
DE CASTILLA Y LEÓN
NUEVA YORK 2003

TreasureS
OF CASTILLA Y LEÓN
NEW YORK 2003

ISBN: 84-9718-143-3
Depósito Legal: M-55041-02

*Print /*Imprime: Mateu Cromo

EXHIBITION ORGANIZED AND PRODUCED BY:
EXPOSICIÓN ORGANIZADA Y REALIZADA POR:

Junta de Castilla y León
&
American Museum of Natural History

SPONSORED BY: / PATROCINAN:

Federation of Savings Banks of Castilla y León / Federación de Cajas de Ahorros de Castilla y León

ORGANIZERS / COMISARIOS

Juan Luis Arsuaga Ferreras
Eudald Carbonell Roura
José María Bermúdez de Castro Risueño
Ian Tattersall

SCIENTIFIC COLLABORATORS / COLABORADORES CIENTÍFICOS

Equipo de Investigación de Atapuerca
Ken Mowbray
Gary Sawyer
Blaine Maley

PRODUCTION COORDINATORS / COORDINACIÓN DE PRODUCCION

J. Javier Fernández Moreno
Marian Arlegui
María Martinón Torres
Susana Sarmiento Pérez

CATALOGUE / CATÁLOGO

TEXTS / TEXTOS
Equipo de Investigación de Atapuerca

TRANSLATION / TRADUCCIÓN
Rolf Quam

EDITION / EDICIÓN
Juan Luis Arsuaga Ferreras
Eudald Carbonell Roura
José María Bermúdez de Castro Risueño

EDITORIAL DESIGN / DISEÑO EDITORIAL
Juan Carlos Sastre

PHOTOGRAPHS / FOTOGRAFÍAS
Javier Trueba

DRAWINGS / DIBUJOS
Kennis & Kennis, Raúl Martín

GRAPHIC DESIGN ,PAGE LAYOUT / DISEÑO, MAQUETACIÓN E INFOGRAFÍA
Juan Carlos Sastre, Marta Suárez

The Junta de Castilla y León presents, within their currently ongoing program of activities in New York City, the exhibition: «The First Europeans: Treasures from the Hills of Atapuerca». An initiative that brings together the most significant discoveries from the sites in the Sierra de Atapuerca and which has been made possible thanks to the collaboration of the American Museum of Natural History which, from the first moment, not only demonstrated their interest, but also took on the exhibition as their own, collaborating at every moment with the scientific directors of the excavations who were responsible for the technical contents.

With this exhibition, the Junta de Castilla y León hopes to make both scientists and the general public aware of the momentous discoveries and scientific advances which have been made during the recent decades at these archaeo-paleontological sites located in the north of our Community, only a few kilometers from the city of Burgos.

The presence of different species of the genus Homo, their physical characteristics, their patterns of behavior, as well as all the information related to the history and progress of research surrounding the sites of the Sierra de Atapuerca form the bases for the organization of the exhibits, which will be presented in parallel with a scientific symposium including the most outstanding scientists researching the earliest populations of Europe, with the goal of contrasting the data contributed by these sites.

In the name of the Junta de Castilla y León, I wish to thank the American Museum of Natural History in New York, as well as the scientific research team which leads the excavations and the researchers who will attend the symposium, for their efforts and dedication in the study and organization of this exhibition. This represents the culmination of a period of dissemination of the discoveries at Atapuerca, begun in 1992 with the exhibit presented in the pavilion of the Junta de Castilla y León at the Exposición Universal in Sevilla, and which, once again, constitutes the best reflection of our support, efforts and commitment to these sites which are the pride of all the people from Castilla y León, as well as a World Heritage.

JUAN VICENTE HERRERA
President of the Junta de Castilla y León

La Junta de Castilla y León presenta, dentro del programa de actividades que viene desarrollando en la ciudad de Nueva York, la exposición: «Los primeros Europeos: Tesoros de la Sierra de Atapuerca». Una iniciativa que recoge los hallazgos más singulares de los yacimientos de la Sierra de Atapuerca y que ha sido posible gracias a la colaboración del Museo Americano de Historia Natural que, desde el primer momento, manifestó no sólo su interés, sino que sumió como propia la exposición, colaborando en todo momento con los directores científicos de las excavaciones que se encargaron de los contenidos técnicos de la misma.

Con esta exposición, la Junta de Castilla y León pretende dar a conocer en el ámbito científico, así como difundir, entre el público norteamericano, los trascendentales descubrimientos y los avances científicos que a lo largo de estas décadas han tenido lugar en este complejo arqueopaleontológico, ubicado en el noreste de nuestra Comunidad, a escasos kilómetros de la ciudad de Burgos.
La presencia de especies distintas del género Homo, los rastros sobre su caracterización morfológica, sus pautas de comportamientos, así como todos aquellos datos relacionados con la historia y el proceso de investigación en torno a los yacimientos de la Sierra de Atapuerca constituyen los ejes sobre los que se organiza la muestra, que contará paralelamente con una reunión científica de los más destacados especialistas en el estudio de las primeras poblaciones europeas, con objeto de contrastar los datos aportados por los yacimientos burgaleses.

Quiero, en nombre de la Junta de Castilla y León, agradecer al Museo Americano de Historia Natural de Nueva York, así como al equipo científico que dirige los trabajos de excavación y a los investigadores que asistirán a las jornadas, su esfuerzo y dedicación al estudio y a la organización de esta exposición. Con ella culmina una etapa de difusión de los hallazgos de Atapuerca, iniciada en el año 1992 con la muestra presentada en el pabellón de la Junta de Castilla y León, dentro de los actos de la Exposición Universal de Sevilla, y que, una vez más, constituye el mejor reflejo de nuestro apoyo, esfuerzo y apuesta por estos yacimientos que son un orgullo para todos los castellanos y leoneses, a la vez que Patrimonio de la Humanidad.

JUAN VICENTE HERRERA
Presidente de la Junta de Castilla y León

Index / Índice

AT1 *The Sierra de Atapuerca today*

The Sierra de Atapuerca is located to the east of the city of Burgos. In this small mountain, evidence for the presence of humans and their past life ways is preserved over the course of the last one million years.

Al Este de la ciudad de Burgos se encuentra la Sierra de Atapuerca. En este pequeño promontorio se acumulan testimonios de la presencia y modo de vida de la Humanidad desde hace un millón de años hasta la actualidad.

The Pyrenees
Mountains

The Ebro River
Basin

The city of
Burgos

The Sierra de
Atapuerca

The Sierra de
la Demanda

Mediterranean
Sea

The Duero
River Basin

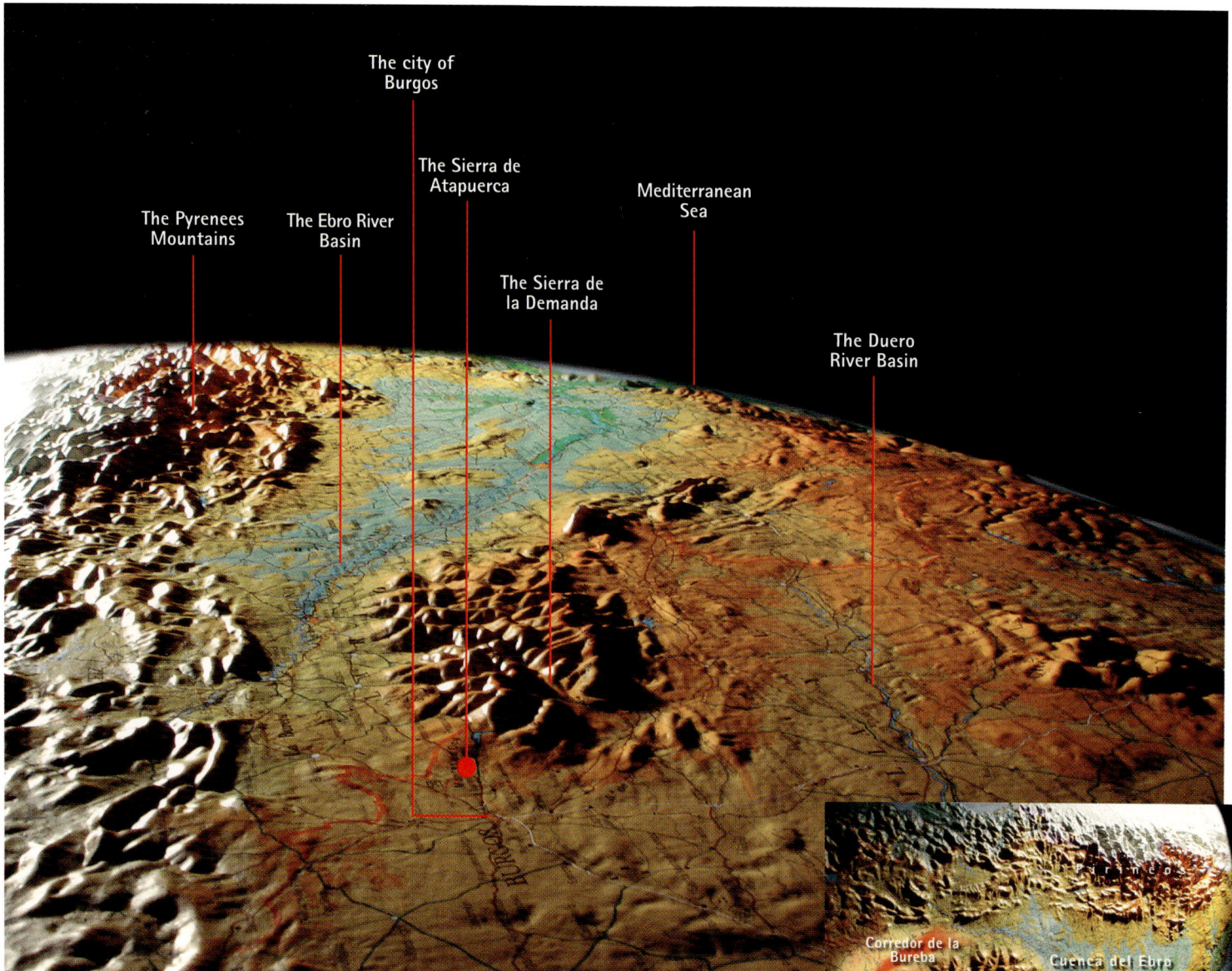

The Sierra de Atapuerca is located in a
strategic corridor which joins the Duero
and Ebro River Basins.

La Sierra de Atapuerca se encuentra en un
corredor estratégico que comunica las
cuencas de los ríos Duero y Ebro.

Corredor de la
Bureba

Cuenca del Ebro

Cuenca del Duero

The Physical Setting

The Sierra de Atapuerca is located in the north of Spain, on the northern Meseta, and has a maximum altitude of 1,085 meters above sea level. Located some 15 km to the East of the city of Burgos, the Sierra is surrounded by the Pico, Vena and Arlanzón rivers and forms part of the last mountains which comprise the Iberian System. It is separated from the southern border of the Cantabrian Cordillera by a tectonic corridor (known as the "Strait of Burgos") which links the tertiary depression of the Duero River Basin with that of the Ebro River, two of the largest rivers in Spain, and which forms a natural pass providing access to the interior of the Iberian Peninsula. At the same time, the Sierra is located at a biogeographic crossroads where Mediterranean, Atlantic and Continental climatic regimes converge. This climatic confluence has fostered the coexistence of a wide variety of species of fauna and flora and an ecosystem (with a great diversity of biotopes) which has been exploited by different groups of humans throughout time.

The Sierra de Atapuerca corresponds tectonically to a fallen anticline (sedimentary layers forming an inverted V-shape), with a NE inclination and an orientation similar to the nearby Sierra de la Demanda, i.e. NNW-SSE, which was formed in limestone of marine origin laid down during the Upper Cretaceous period (between 80-100 million years ago). On the borders of the Sierra, materials from the Tertiary period (from 25-5 million years ago) overlay the inclined layers of the anticline. These materials are of continental origin, formed by Oligocene lime conglomerates and red clays, and are in turn overlain by a more or less horizontal lithological sequence of marls, clays, gypsums, and marly and limey pockets, typical of the lacustrine environment of the Duero River Basin.

Toward the end of the Pliocene and the beginning of the Pleistocene, the Arlanzón River began to carve out a fluvial valley, showing a stairstep-like profile with 15 levels of terraces. The valley is strongly asymmetric as it passes by the Sierra, whose peak reaches barely 50 meters above the uppermost terrace.

Marco físico

En el norte de España, en la Meseta septentrional, se encuentra la Sierra de Atapuerca, un pequeño cerro de 1.085 m de altitud máxima, que se localiza a unos 15 km al Este de la ciudad de Burgos. La Sierra está rodeada por los ríos Pico, Vena y Arlanzón.

Esta sierra forma parte de las últimas montañas del Sistema Ibérico, separada del borde meridional de la Cordillera Cantábrica por un corredor tectónico (conocido como el "Estrecho de Burgos") que enlaza las depresiones terciarias de la Cuenca del Duero y la del Ebro, dos de los mayores ríos de España, constituyéndose en un paso natural de penetración hacia el interior de la Península Ibérica. Asimismo se sitúa en una encrucijada biogeográfica donde confluyen influencias climáticas mediterráneas, atlánticas y continentales, propiciando la coexistencia de una gran variedad de especies de flora y fauna y la presencia de un ecosistema (con gran diversidad de biotopos), que fue aprovechado por diferentes grupos humanos a lo largo del tiempo.

La Sierra de Atapuerca corresponde tectónicamente a un anticlinal tumbado con vergencia NE y de dirección ibérica NNW-SSE que se desarrolla en rocas calizas del Cretácico superior (entre 80 y 100 millones de años) de origen marino. En los bordes de la Sierra, apoyándose sobre las capas inclinadas de este anticlinal, aparecen materiales de edad terciaria (entre 25 y 5 millones de años) de origen continental, formados por conglomerados calizos y arcillas rojas del Oligoceno, sobre los que se superpone, más o menos horizontalmente, una secuencia litológica de margas, arcillas, yesos y paquetes calizos y margosos, propios del ambiente lacustre de la Cuenca del Duero.

A finales del Plioceno e inicios del Pleistoceno el río Arlanzón comienza a excavar su valle fluvial, que presenta un perfil escalonado con 15 niveles de terrazas, fuertemente asimétrico a su paso por la Sierra de Atapuerca, cuya cumbre resaltaría apenas cincuenta metros sobre su terraza superior.

Present Ecosystems

The altitude and geographic location of the Sierra de Atapuerca produce a continental climate which is attenuated by the amount of rainfall and Mediterranean influence. The combination of these climatic factors with the particular substrate characteristics of the region (with a "c" calcareous horizon and very thin soil in the Sierra) gives rise to an optimal natural vegetation coverage which is defined as "subsclerofilous forest".

The Sierra is covered by low, patchy woods that rarely reach above four meters in height and are comprised principally of two varieties of oak trees. Throughout the Sierra, Quercus ilex is predominant, with groups of Quercus faginea proliferating in zones with greater depths of soil. These woody areas primarily extend along the southwest slope, leaving some clearings visible where the presence of the limestone bedrock has reduced the soil cover to only superficial levels. The species of shrubs that grow at the boundaries between the woody areas and clearings include hawthorn (Ramnus sexatillis and Crataegus monogyna), honeysuckles (Lonicera etrusca and Lonicera splendida), wild rose (Rosa canina) and less frequently blackthorn (Prunus spinosa) and wild jasmine (Jasminum fruticans). Herbaceous plants also appear, including, among others, Thimus cinereum, Heliantemum hirtum, Teucrium polium, Lavandula latifolia, Knautia arvensis, and Onopordon acanthium. In the highest parts of the Sierra, the oaks are concentrated in patches, allowing a very thin vegetation cover to take over, composed of thyme (Thimus szigis), lavender (Lavandula pedunculata) and gorse.

The Sierra is surrounded by grain fields that remain fallow during the winter and whose principal crops are wheat and barley. The soil is acidic and deep, having been laid down by the Arlanzón River. On the fields that remain fallow year round, opportunistic species of herbaceous plants such as Bromus and a variety of mustard plants proliferate during springtime.

Another important ecosystem in the Sierra de Atapuerca has developed along the banks of the Arlanzón River and consists of a mixed-gallery forest comprised of poplar and willow groves, including black poplar trees (Populus nigra), aspens (Populus tremula) and various species of willow (Salix neotricha, Salix alba and Salix fragilis). The river also forms various islands, whose size and shape changes depending on the annual water levels, and which are home to various types of rushes (Thipha latifolia, Thipha dominguensis and Tipha angustifolia) and reeds (Phragmites australis, Scirpus lacustris, Scirpus maritimus, Juncus implexus, Juncus conglomeratus). On the banks, the black poplars and willows are interspersed with pastures, fern groves and beds of reeds, where wild rose, mint (Mentha longifolia) and clover (Trifolium repens) grow. During the summer months, the clearings are utilized for grazing livestock, and the inhabitants of the nearby pueblo of Ibeas de Juarros take advantage of the presence of the Arlanzón River for recreational activities. Patches of elm trees are also present at various points along the river bank, although a severe attack of Dutch elm disease has reduced their numbers significantly.

Ecosistemas actuales

La situación geográfica de la Sierra de Atapuerca y su altitud determinan la existencia de un clima continental atenuado por la cuantía de las precipitaciones y por la influencia mediterránea. La combinación del factor climático con el de la naturaleza del sustrato (con un horizonte "c" calcáreo y suelos poco profundos en la Sierra) dan lugar a una cubierta óptima natural que se define como "bosque subesclerófilo". La Sierra está cubierta por una mancha boscosa cuyo desarrollo no supera por lo general los cuatro metros de altura. Se compone mayoritariamente de encinas (Quercus ilex) salpicadas por grupos de quejigos (Quercus faginea), que proliferan en aquellas zonas en las que aparecen suelos más profundos.

El encinar se extiende por las laderas de la vertiente suroeste, dejando ver algunas zonas aclaradas, debidas en la mayoría de los casos a la presencia de la roca caliza en las capas más superficiales del terreno. Entre las especies de arbustos que crecen en las lindes de los claros o calveros podemos encontrar el espino de tintes (Ramnus sexatillis), madreselvas (Lonicera etrusca y Lonicera splendida), el majuelo (Crataegus monogyna), el escaramujo (Rosa canina) y en menor medida endrinos (Prunus spinosa) y jazmines silvestres (Jasminum fruticans). También aquí aparecen plantas herbáceas como Thimus cinereum, Heliantemum hirtum, Teucrium polium, Lavandula latifolia, viuda silvestre (Knautia arvensis), alcachofa borriquera (Onopordon acanthium), etc. En las cotas superiores de la Sierra las encinas se disponen formando rodales, que van dejando ganar terreno a una vegetación de escaso porte formada por tomillos (Thimus szigis), lavandas (Lavandula pedunculata) y aulagas.

La Sierra de Atapuerca está rodeada por campos de cereales que permanecen roturados durante el invierno y en los que se plantan mayormente trigo y cebada. Son terrenos ácidos, con un desarrollo profundo, generados por el río Arlanzón.

Sobre aquellos terrenos que permanecen en barbecho durante todo el año, proliferan desde la llegada de la primavera algunas especies de herbáceas oportunistas, como Bromus y mostacillas.

Otro ecosistema cuya presencia marca de manera importante a la Sierra de Atapuerca es el que se desarrolla en la ribera de río Arlanzón. A lo largo del río Arlanzón encontramos un bosque de galería mixto, formado por povedas y sauzales. Los árboles que lo forman son el alamo negro (Populus nigra), el álamo temblón (Populus tremula) y varias especies de sauces (Salix neotricha, Salix alba y Salix fragilis). El río forma algunas islas cuyos tamaños y formas cambian dependiendo de las crecidas anuales. En ellas crecen carrizales, formados por varios tipos de espadañas Thipha latifolia, Thipha dominguensis, y Tipha angustifolia carrizos Phragmites australis, mezclados con diversas clases de juncos: Scirpus lacustris, Scirpus maritimus, Juncus implexus, Juncus conglomeratus.

En la orilla, los chopos y los sauces se mezclan con claros en los que crecen pastizales, helechales y juncales. Aquí podremos encontrar escaramujos (Rosa canina), mentas (Mentha longifolia) y rodales de tréboles (Trifolium repens). Estas zonas aclaradas se ven favorecidas por la utilización ganadera que se da sobre todo en los meses de verano, así como por el uso lúdico que los habitantes de Ibeas de Juarros hacen del río Arlanzón al paso por su localidad.

En algunos puntos de la ribera aparecen pequeñas manchas de olmos, muy mermadas debido al virulento ataque de la grafiosis.

An oak forest extends along the slopes of the Sierra. In the background, the entrance to the Trinchera in the Sierra is visible.

Un bosque de encinas se extiende por las laderas de la Sierra, al fondo se ve la entrada de la trinchera en la Sierra.

The Arlanzón River has carved out a valley creating an important ecological corridor.

El río Arlanzón ha labrado un valle creando un importante corredor ecológico.

A stroll from the Arlanzón River to the Sierra de Atapuerca

The Arlanzón is inhabited by numerous species typical of a river ecosystem. The trout (Salmo trutta) swimming in its waters consumes a variety of aquatic invertebrates as well as flying insects which perch near the river's surface. The water snake (Natrix natrix) is another of the predators in this ecosystem.

Just beyond the riverbank, we might notice the jumps of some common frogs (Rana perezi) as we pass by and we can see warblers (Hippolais poliglota), chiffchaffs (Phylloscopus collybita) and groups of sparrows (Passer domesticus). Some of the river birds are difficult to see, but their songs are easily heard. This is the case of the nightingale (Cettia cetti), which hides in the dense willows and thorny bushes, or the blue nuthatch, whose cries are heard from the branch of a black poplar along the banks of the Arlanzón. This is also the habitat of the wagtail (Motacilla alba), the moorhen (Gallinula chloropus), more easily seen in areas where the river current is calmer, and of the small white wagtail (Actitis hypoleucos), which runs along the riverbanks hiding among the reeds.

Not far from the Arlanzón river is the pueblo of Ibeas de Juarros. Upon passing through its streets to begin our climb to the Sierra de Atapuerca, we encounter flocks of sparrows throughout the year, and beginning in March the sky is filled with swallows (Hirundo rustica), swifts (Apus apus) and common martins (Delinchon urbica) which nest in the roofs of the houses.

After leaving the streets of Ibeas and continuing our journey to the Sierra, we enter a small open forest of oak trees (Quercus pirenaica). During the winter months, this small oak grove is filled with thrushes (Turdus phylomenos), groups of goldfinches (Fringilla coelebs) and linnets (Carduelis cannabina), robins (Erithacus rubecula) and common blackbirds (Turdus merula). The branches of the trees which form the border of the oak grove are favored by owls (Tyto alba) that lie in wait for small rodents during the night and by buzzards (Buteo buteo) during the day.

From here, we enter the fields which surround the Sierra. During the winter we find might see flocks of red partridges (Alectoris rufa), lapwings (Vanellus vanellus), choughs (Pyrrhocorax pyrrhocorax), rooks (Corvus monedula), crows (Corvus corone) and magpies (Pica pica), all of which feed on small vertebrates and seeds which remain in the wheat fields. Pale hawks (Circus cyaneus) make low-flying sweeps above the fields in search of small mammals and unwary chicks. Later, in springtime, they'll travel to the north of Europe to breed, but in their place we see a sister species, the gray hawk (Cyrcus pygargus), which arrives from Africa to nest in the protection which the wheat fields provide.

Springtime brings the arrival of several other bird species, which, together with the gray hawk, cross the Straits of Gibraltar. We might see the northern stonechat (Saxicola rubetra), the common shrike (Lanius senator), or hear the song of the quail (Coturnix, coturnix). These species, together with corn buntings (Miliaria calandra), green finches (Carduelis chloris), calandra larks (Melanocoripha calandra), common larks (Alauda arvensis) and crested larks (Galerida cristata) are the most common inhabitants of cultivated areas.

At sundown, we surprise a group of roe deer (Capreolus capreolus) emerging from the thick vegetation that covers the Sierra to feed in the wheat fields, or an owl perched on the rock piles accumulated by farmers upon tilling their fields.

In spring, summer and part of fall, we can see the booted eagle (Hieratus

Un paseo desde el río Arlanzón hasta la Sierra de Atapuerca

En el río Arlanzón habitan un gran número de especies que frecuentan de forma habitual este ecosistema. En sus aguas podemos ver nadar truchas (*Salmo trutta*) que se alimentan de un buen número de invertebrados acuáticos o voladores que se posan sobre la corriente del río. También podemos encontrar a la culebra de agua, o culebra de collar, (*Natrix natrix*) que es otro de los depredadores de este ecosistema.

Paseando por la orilla podemos reparar en que saltan algunas ranas comunes (*Rana perezi*) a nuestro paso, y podremos ver volar sobre las ramas de los árboles a los zarceros (*Hippolais poliglota*), mosquiteros (*Phylloscopus collybita*) y bandadas de gorriones comunes (*Passer domesticus*). Algunos de los pájaros del río son difíciles de ver, pero se hacen escuchar con cantos potentes y continuos. Es el caso del ruiseñor bastardo (*Cettia cetti*), que se esconde entre la densidad de sauces y zarzas, o del trepador azul (*Sitta europaea*), al que se escucha reclamar desde la rama de alguno de los chopos que recorren la ribera del Arlanzón. También es éste el ambiente de las lavanderas (*Motacilla alba*), de las pollas de agua (*Gallinula chloropus*) más fácilmente visibles en las zonas en donde el río pierde fuerza, y de los andarríos chicos (*Actitis hypoleucos*), que recorren las orillas escondidos entre los carrizos.

A poca distancia del río Arlanzón está el pueblo de Ibeas de Juarros. Al atravesar sus calles para iniciar la subida a la sierra de Atapuerca nos encontramos con grupos de gorriones durante todo el año. Pero a partir del mes de marzo el cielo del pueblo se llena de golondrinas (*Hirundo rustica*), vencejos (*Apus apus*) y aviones comunes (*Delinchon urbica*) que anidan en los tejados de las casas. Si dejamos las calles de Ibeas, y seguimos el camino hacia la Sierra, entramos en un pequeño bosque adehesado de robles melojos (*Quercus pirenaica*). Durante los meses de invierno este pequeño robledal se llena de zorzales (*Turdus phylomenos*), bandadas de jilgueros (*Fringilla coelebs*) y de pardillos (*Carduelis cannabina*), petirrojos (*Erithacus rubecula*) y mirlos comunes (*Turdus merula*). Las ramas de los árboles que forman el borde del robledal son las elegidas por las lechuzas (*Tyto alba*) para acechar a los pequeños roedores durante la noche, y por los ratoneros comunes (*Buteo buteo*) durante el día.

Entramos ahora en los campos que rodean a la Sierra. Durante el invierno podemos encontrarnos con bandos de perdices rojas (*Alectoris rufa*), avefrías (*Vanellus vanellus*), chovas piquirrojas (*Pyrrhocorax pyrrhocorax*), grajillas (*Corvus monedula*), cornejas negras (*Corvus corone*) y urracas (*Pica pica*). Los pequeños invertebrados y los granos de cereal que han quedado en el terreno, son el alimento de todas estas especies.

Durante el invierno los aguiluchos pálidos (*Circus cyaneus*) hacen vuelos rasantes en busca de micromamíferos y pajarillos despistados. Luego, en primavera, viajarán hacia el norte de Europa para criar, pero en su lugar podremos observar a una especie hermana, el aguilucho cenizo (*Cyrcus pygargus*) que llega desde África para anidar en la protección que le brindan los campos de cereal. La primavera supone la llegada de otras especies que junto al aguilucho cenizo cruzan el estrecho de Gibraltar. Veremos a la tarabilla norteña (*Saxicola rubetra*), al alcaudón común (*Lanius senator*), o escucharemos el canto de las codornices (*Coturnix coturnix*). Estas especies junto a trigueros (*Miliaria calandra*), verderones (*Carduelis chloris*), calandrias (*Melanocoripha calandra*), alondras (*Alauda arvensis*) y cogujadas comunes (*Galerida cristata*), son las habitantes más comunes de las áreas cultivadas.

Al atardecer podemos sorprender a algún grupo de corzos (*Capreolus caprerolus*), saliendo de la vegetación espesa que tapiza la Sierra para comer entre los sembrados, o al mochuelo (*Athene noctua*) posado sobre las piedras que agrupan los agricultores al roturar los campos.

En primavera, verano y parte del otoño, podremos ver sobrevolando los campos

pennatus) and the short-toed eagle (Circaetus galicus), but other predators inhabit the Sierra year round, such as the fox (Vulpus vulpes) or the common falcon (Falco tinnunculus).

The road leads us to the route of the old mining railroad. Following it northwest we approach the slopes of the Sierra until we reach a clearing where we enter the limestone bedrock of the mountain. We can hear the beautiful song of the nightingale, one of the most difficult birds to see. To the right of us is the Cueva del Silo where an eagle owl has occasionally been sighted, most likely a habitual occupant of one of the limestone walls that remain from past quarrying activities in the Sierra. The road now leads us into the interior of the railway trench. Falcons raise their young within the confines of the trench, but they aren't alone, rooks and choughs make their nests in the numerous cracks and cavities in the limestone walls. Inside the trench we walk along a path lined with honeysuckles, hawthorns, green hellebore (Helleborus viridis), asparagus plants and wild roses.

Among them we spot the robin and the redstart (Phoenicurus ochruros). Both species inhabit the Sierra year round, and move between the bushes which grown along the roads and in the clearings.

A road leads out from the railway trench, through the woods, and ascends to the highest part of the Sierra. Among the dense oak trees, we can also find the coal tit (Parus major), the common tit and the common blackbird. On occasion, we might be surprised by wood pigeons

al águila calzada (Hieratus pennatus) y al águila culebrera (Circaetus gálicus). Pero hay otros depredadores que habitan durante todo el año la Sierra y sus alrededores, como son el zorro (Vulpes vulpes) o el cernícalo vulgar (Falco tinnunculus).

El camino nos lleva hasta el antiguo trazado del ferrocarril minero. Siguiéndolo en dirección noroeste vamos acercándonos cada vez más a las laderas de la Sierra, hasta que al encontrarnos con un claro nos adentramos en la roca caliza de la montaña. En este claro se puede escuchar al ruiseñor común (Luscinia megarynchos), una de las aves más difíciles de ver, aunque con un canto llamativo y especialmente bello. Si miramos hacia la derecha, encontraremos la entrada de la Cueva del Silo. Aquí ha sido visto en alguna ocasión el búho real (Bubo bubo), seguramente habitante habitual de alguna de las paredes calizas que han quedado en la Sierra fruto de la explotación de la piedra.

El camino nos conduce al interior de la trinchera del ferrocarril. Los cernícalos vulgares crían dentro de la trinchera, pero no son los únicos, pues grajillas y chovas piquirrojas forman sus nidos en las numerosas grietas y oquedades de las paredes.

Dentro de la trinchera paseamos por un camino jalonado por madreselvas, majuelos, heléboros (Helleborus viridis), esparragueras y escaramujos. Entre ellas veremos al petirrojo (Erithacus rubecula) y al colirrojo tizón (Phoenicurus ochruros). Las dos especies permanecen todo el año en la Sierra, y se mueven entre los arbustos que crecen en sus caminos y pequeños claros.

Desde la trinchera del ferrocarril sale un camino que, atravesando el bosque de encinas y robles, asciende a lo más alto de la Sierra. Entre la densidad de las

▲
The vegetation covering the limestone terrain of the Sierra is different from that in the grain fields which surround it.

La vegetación que se asienta sobre el terreno calizo de la Sierra se diferencia de la de los campos de cultivo que la rodean.

(Columba palumbus) when they emerge from the bushes or come across the common jay (Garrulus glandarius). A few species, such as the wild boar (Sus scrofa), the fox or the marten (Martes foina) take refuge in the undergrowth that covers the Sierra. Their nocturnal habits make them even more difficult to spot, although their footprints and other traces of their presence are easily seen.

Some of the clearings in the woods, formed by stony ground which derives from the old limestone quarries, are home to various lizard species, such as the jewelled lizard (Lacerta lepida) or the Iberian lizard (Podarcis hispanica). We can also find the asp (Vipera aspis), which tends not to stray too far from these stony areas with low shrubs. Other snakes found in the Sierra include the viper (Natrix maura) and the southern gray snake (Coronela girondica).

The road leads us between oaks until we reach the summit of the Sierra, where the vegetation changes. The oak forest becomes patchier, joined by ever-larger clearings with thyme, lavender and gorse.

Some species also arrive from the regions surrounding the Sierra. Groups of Griffon vultures (Gips fulvus) come from the limestone bluffs of the Arlanza River to the south, or the ravines of the Pancorbo to the north. We might also see the fleeting presence of peregrine falcons (Falco peregrinus) from these same regions.

encinas son frecuentes los carboneros comunes (Parus major), herrerillos comunes (Parus caeruleus) y el mirlo común (Turdus merula). En ocasiones nos sorprenderán las palomas torcaces (Columba palumbus) al salir desde la espesura o descubriremos al arrendajo común (Garrulus glandarius).

Entre la vegetación que cubre la Sierra se refugian algunas especies difíciles de observar por sus hábitos nocturnos, como el jabalí (Sus scrofa), el zorro (Vulpes vulpes) o la garduña (Martes foina), aunque sus huellas y rastros son fácilmente observables.

Algunos claros del encinar están formados por pedregales que provienen de antiguas canteras de roca caliza. Es el lugar en el que se refugian algunas especies de lagartos, como el ocelado (Lacerta lepida), y lagartijas como la ibérica (Podarcis hispanica). Además podemos encontrarnos con la víbora aspid (Vipera aspis), que no suele alejarse mucho de estar zonas de pedregal y matorral bajo. Otras especies de reptiles que podemos encontrar en la sierra son la culebra viperina (Natrix maura) y la culebra lisa meridional (Coronela girondica).

El camino nos conduce entre encinas y robles hasta el alto de la Sierra. Allí la vegetación cambia. El encinar pasa a agruparse en rodales, unidos por zonas cada vez más extensas de tomillos, lavandas y aulagas.

Desde las comarcas que rodean a la Sierra llegan algunas especies que pueden observarse a lo largo de nuestro recorrido. Procedentes de los paredones calizos del río Arlanza (al sur), o de los desfiladeros de Pancorbo (al norte) llegan grupos de buitres leonados (Gips fulvus). También podemos ver de forma fugaz, el paso de algún ejemplar de halcón peregrino (Falco peregrinus) venido desde las zonas antes mencionadas.

The construction of a railway trench for the passage of a mining railroad at the beginning of the 20th Century, led to the discovery of several collapsed caves whose sediments are rich in fossils and stone tools. The sites of Gran Dolina, Galería and Sima del Elefante are located here.

La construcción de una trinchera para el paso de un ferrocarril minero a principios del Siglo XX, puso al descubierto cavidades rellenas de sedimentos ricos en fósiles y herramientas de Piedra. Aquí se encuentran los yacimientos de la Gran Dolina, Galería y Elefante.

Cave sites in the Sierra de Atapuerca

Karst formation

Karst is the name of a region of the Alps which forms part of present-day Slovenia and gives its name to a characteristic type of relief. It is a calcareous terrain in which dissolving processes predominate over erosive processes, and where surface runoff of waters has been substituted by a rapid infiltration and subterranean circulation of these same waters, through fissures and cavities in the bedrock.

By extension, the term karst has been adopted internationally to denote any region with similar characteristics. These generally occur in carbonated rocks, and principally in limestone or dolomite, although these processes can develop in other lithological settings such as ice, gypsum, salts, and even, in exceptional cases, in quartzite and other siliceous rocks.

The formation of the karst in this Mesozoic mountain at Atapuerca is characterized by the relative unimportance of superficial formations (exokarsts), presenting only modest lapiaces (areas where the rock forms thin vertical laminas) and small dolinas (subterranean chambers which open to the outside) located at the summit of the sierra and by the extensive development of subterranean formations (endokarsts). Large underground chambers, frequently surpassing 20 meters in height, eventually formed as the water level of the Arlanzón River, which marked the regional water table, gradually lowered, depositing its terraces in the river valley.

The karst system of Cueva Mayor-Cueva del Silo is located in the southern sector of the Sierra de Atapuerca. With 3,700 meters of subterranean passages, it constitutes one of the most important cave systems in the Duero River Basin. The lowering of the water table, and the forces

Yacimientos kársticos de la Sierra de Atapuerca

El modelado kárstico

Karst es el nombre de una región de los Alpes Dináricos que actualmente pertenece a Eslovenia y da nombre a un relieve característico. Se trata de un territorio calcáreo, con predominio de los procesos de disolución sobre los de erosión, en el que la escorrentía superficial de las aguas se ha visto sustituida por una rápida infiltración y una circulación subterránea de las mismas, a través de fisuras y cavidades.

Por extensión, internacionalmente se ha adoptado el término karst, y sus derivados, para denominar a todos aquellos territorios de similares características, generalmente en rocas carbonatadas, calizas y dolomías principalmente, aunque también dichos procesos pueden desarrollarse en otras litologías como el hielo, yesos, sales, e incluso, en casos excepcionales, en cuarcitas y otras rocas silíceas.

El modelado kárstico de esta sierra mesozoica de Atapuerca se caracteriza por la poca importancia de las formas superficiales (exokársticas), que presentan modestos lapiaces y pequeñas dolinas localizadas en la cumbre de la sierra, y por el gran desarrollo de sus formas subterráneas (endokársticas), con grandes conductos que presentan frecuentemente secciones superiores a los 20 m de altura, que fueron evolucionando en profundidad a medida que se iba encajando el río Arlanzón, que marcaba el nivel freático regional, mientras depositaba sus terrazas en el exterior.

El sistema kárstico de Cueva Mayor-Cueva del Silo se localiza en el sector meridional de la Sierra de Atapuerca; con sus 3.700 m de desarrollo constituye una de las cavidades más importantes de la Cuenca del Duero. Estamos ante un karst de origen freático, que

The Sima del Elefante contains the oldest sediments in the Sierra, which surpass a million years in the lower levels. Here signs of what could be the oldest evidence of stone tools in Europe have been found.

El yacimiento del Elefante contiene los sedimentos más antiguos de la Sierra que sobrepasan el millón de años en su parte inferior. Aquí se han encontrado indicios de lo que podría ser una de las industrias más antiguas de Europa.

generated by water action carved out subhorizontal chambers with no predominant orientation of the galleries. However, judging from the directions of the water circulation, an area of primary water emergence can be identified in the Cueva del Silo, situated at the beginning of the Valhondo valley, at the headwaters of the Pico River.

The galleries in these subterranean cavities are distributed in three clearly differentiated levels, marking the successive drops in the water table of the Arlanzón River, which gradually left the upper conduits inactive. Subsequent collapses and erosive processes caused the collapse of the roofs of these conduits and facilitated access to the interior of the caves by animals and humans since Lower Pleistocene times, at least one million years ago.

From this moment, the entrances began filling, little by little, with sediments, branches and other surface materials brought in mainly through the action of surface water runoff and small scale flooding, until the cave mouths were completely sealed toward the end of the Middle Pleistocene (around 128,000 years ago). Some of the galleries are still accessible today, mainly through the Portalón of Cueva Mayor, by a small, narrow passageway which opens between the sediments and infilling, dating to the last 4,000 years, which are preserved in this entrance.

The natural beauty of the galleries is due in no small part to the large number of spectacular stalagmites and stalactites present in the interior of the cave system. Unfortunately, the presence and activity of humans in the cave during more than 500 years has caused irreversible damage to this once pristine beauty.

The occupation and subsequent filling of the cave entrances has

evolucionó en conductos forzados de desarrollo subhorizontal, sin claro predominio direccional de sus galerías, aunque los sentidos de circulación de las aguas marcan una zona de surgencia principal en la Cueva del Silo, situada en el inicio del valle del Valhondo, en la cabecera del río Pico. Estas cavidades presentan sus galerías distribuidas en tres niveles nítidamente diferenciados, marcados por los sucesivos descensos del nivel de base de las aguas del río Arlanzón, que fueron dejando inactivos a los conductos superiores. Posteriormente, desplomes gravitacionales y procesos erosivos provocaron el hundimiento de las bóvedas de estos conductos, facilitando el acceso al interior de las cavidades de animales y seres humanos desde el Pleistoceno inferior, hace al menos un millón de años.

A partir de ese mismo momento las zonas de entrada se fueron colmatando, poco a poco, con sedimentos, ramas y otros materiales de la superficie, que procedían, principalmente, de aportes de escorrentía y de pequeñas riadas, hasta que se sellaron completamente sus portalones de entrada hacia el final del Pleistoceno medio (hace unos 128.000 años). En la actualidad podemos acceder a algunas de sus galerías, a través del Portalón de Cueva Mayor, por un pequeño y angosto paso que se abre entre los sedimentos y rellenos, que datan de los últimos 4.000 años, que existen en esta entrada.

En el interior de las galerías se observan abundantes estalagmitas y estalactitas, que proporcionan una gran belleza a estos conductos, aunque la irrespetuosa presencia humana a lo largo de más de 500 años ha dañado irreversiblemente esta belleza natural.

El uso y relleno de las entradas de las cuevas ha permitido que conserven

To reach the Sima de los Huesos you have to cover more than half a kilometer of subterranean pasages.
Para llegar a la Sima de los Huesos hay que recorrer medio kilómetro de cueva.

Gran Dolina

Galería

La Trinchera

Atapuer

Sima del
Elefante

Cueva Mayor

Galería
del Silo

Cueva Mayor
(Portalón)

Cueva del Silo

Sala de los Cíclopes

Sima de los Huesos

preserved traces of the past. The cave sites in the Sierra de Atapuerca contain one of the richest archeological and paleontological records documenting the course of human evolution in Europe during the Lower and Middle Pleistocene. The cave sites (Dolina, Galería and Elefante) that appeared during construction of the railway trench ("Trinchera del Ferrocarríl"), along with the Sima de los Huesos, span a time range from more than one million years ago until around 128,000 years ago. The present day entrances of Cueva Mayor, Cueva del Silo and Cueva del Mirador, as well as other caves such as Cueva Peluda and Cueva Ciega contain evidence of Holocene occupations.

At the beginning of the 20th Century, the construction of a trench which cut into the southwest border of the Sierra de Atapuerca, for the passing of a narrow mining railway, brought to light the presence of numerous karst chambers, many of them filled to the roof. Subsequent excavations and research have centered on three sites: Gran Dolina, Galería and Sima del Elefante.

The site of Gran Dolina (TD)

This site is a sedimentary infilling of the entrance of a large cave whose section presents a stratigraphic sequence 16 meters deep and is divided into 11 levels. The basal part (levels TD1 and TD2) contains sterile sediments deriving from the inside of the cave, and apparently the cave was not open to the exterior at this time. Beginning in levels TD3-TD4 (some 900,000 years old) the opening of the cave mouth allowed outside sediments and materials to fill the cave, and this process of infilling continued through to level TD 11 (around 100,000 years ago). Level TD6 stands out as having yielded 84 human remains, in a test pit of some six square meters, representing a new species of human, Homo antecessor, together with faunal remains, pollen and stone tools. The TD6 remains date to more than 780,000 years ago, given that the sediments in level TD7, higher up in the stratigraphic sequence, show a change in the magnetic polarity which coincides with the Matuyama-Brunhes limit marking the beginning of the Middle Pleistocene. In level TD10 (dated to around 370,000 years ago), the use and occupation of the cave by Middle Pleistocene humans intensified, and there are abundant remains from outside the cave preserved in the sediments. Later, during level TD11 times, the cave became entirely filled to the roof, sealing off the entrance.

The Galería Complex (TG)

This site, together with the associated site of Covacha de los Zarpazos, consists of a horizontal chamber and a complex of sinkholes formed in the limestone bedrock which have been completely filled with sediments. Five phases have been identified in the formation process of the site. The first phase (TG I) concerns the base of the sedimentary sequence and consists of facies typical of the interior of caves. Phases two through five (TG II-V) correspond to times when the cave was open to the outside, containing sediments which derive from the exterior, and was used by both animals and humans.

The archaeological levels (TG II-V) span the time period from greater than 350,000 years ago for the lowest level to 110,000 years ago for the uppermost level, and begin with a layer of guano in the base of TGII. Level TGIII stands out due to the presence of up to 13 human occupation levels. The stone tools, made on flint and quartzite, are associated with

los vestigios del pasado. Los yacimientos kársticos de la Sierra de Atapuerca contienen uno de los mejores registros arqueológicos y paleontológicos para conocer la evolución humana en Europa durante el Pleistoceno inferior y medio. Abarcan desde hace más de un millón de años hasta alrededor de los 128.000, las cavidades que aparecen cortadas por la Trinchera del Ferrocarril (Dolina, Galería y Elefante) y la Sima de los Huesos en Cueva Mayor; y momentos Holocenos, las actuales entradas de Cueva Mayor, Cueva del Silo y Cueva del Mirador, así como otras cavidades como Cueva Peluda o Cueva Ciega.

A principios del siglo XX la construcción de una trinchera en el borde suroccidental de la Sierra de Atapuerca, para el trazado de un ferrocarril minero de vía estrecha, puso al descubierto la presencia de numerosos conductos kársticos, muchos de ellos colmatados a techo. Las investigaciones se han centrado en tres yacimientos: Dolina, Galería y Elefante.

El yacimiento de Gran Dolina (TD)

Relleno del sector de entrada de una gran cavidad cuya sección presenta una secuencia estratigráfica de unos 16 m de potencia vista, subdivididas en 11 unidades. La parte basal (unidades TD1 y TD2) presenta sedimentos estériles propios del interior de la cavidad, sin apertura al exterior, mientras que desde el nivel TD3-4 (de hace unos 900.000 años) hasta el TD11 (de hace unos 100.000 años) la cueva ya estaba abierta al exterior, de donde proceden los rellenos que encontramos.

Destaca el nivel TD6 por haber proporcionado, en un sondeo de 6 m2, 84 restos humanos pertenecientes a una nueva especie, Homo antecessor, junto a restos de fauna, polen e industria lítica de más de 780.000 años de antigüedad, ya que en los sedimentos del nivel superior (TD7) se ha registrado el cambio de polaridad magnética, el límite Matuyama-Brunhes, datado en esa cronología al inicio del Pleistoceno medio. En el nivel TD10 (datado en torno a 370.000 años) son abundantes los aportes del exterior y se ha intensificado el uso y ocupación de esta cavidad por parte de los homínidos del Pleistoceno medio. Posteriormente, en TD11, la cavidad se colmata de sedimentos hasta el techo, cegando su entrada.

El complejo de Galería (TG)

Este sector, junto con la Covacha de los Zarpazos, forma un relleno kárstico que colmata la sección de una cavidad horizontal y un conjunto de simas. Cinco fases se han identificado en este relleno, de las que la fase basal (TGI) se corresponde con facies típicas del interior de las cavidades y las unidades TGII a V representan momentos en los que la cavidad estaba abierta y entran sedimentos procedentes del exterior, a la vez que la cavidad es usada por animales y humanos. Los niveles arqueológicos (TGII-V) se sitúan entre una edad superior a los 350.000 y los 110.000, y se inician con una facies de excrementos de murciélagos (base de TGII). Destaca por su importancia el nivel TGIII por la presencia de hasta trece horizontes con ocupación humana. Los instrumentos líticos, tallados en sílex y cuarcita, aparecen asociados a abundantes restos de animales (caballos, ciervos, gamos, bisontes y rinocerontes) que fueron consumidos bien por el hombre o por otros carnívoros, como osos, leones, cuones, zorros, linces y gatos monteses. Finalmente, han sido recuperados un fragmento de parietal humano

abundant faunal remains (horses, deer, bison and rhinoceroses) which were consumed by both humans as well as other carnivores, such as bears, lions, cuons, foxes, lynxes and wildcats. Finally, a human parietal fragment an mandibular fragment have also been recovered, an appear to correspond to the species Homo heidelbergensis.

The Sima del Elefante (TE)

A little over a million years ago, one of the many subterranean galleries in the Sierra de Atapuerca opened up to the outside world, forming the entrance to a cave. From that moment, clay, sand and rocks began accumulating inside the cave giving rise to a long and complex sedimentary sequence known as the Sima del Elefante.

The scientific value of this site is enormous since it provides information on a critical period, around one million years ago, in human evolution, when the planet's climate began to experience pronounced oscillations, giving rise to profound changes in the ecostystems. The excavations carrried out in the lower levels of the Sima del Elefante have yielded abundant remains of small rodents, as well as deer, primitive bison, hippopotamuses, rhinoceroses, and even macaques and beavers. Carnivore remains representing extinct wolves, foxes, bears and mustelids are also frequent. The important discovery of the bones of an osprey (a type of eagle), together with those of turtles, beavers and hippopotamuses indicate a landscape dominated by vast bodies of water and riverine ecosystems.

But was the Sierra inhabited by hominids a million years ago? The Sima del Elefante has yielded possible evidence of a human presence at Atapuerca during this remote period, but the scarcity of the material urged caution in its interpretation. Nevertheless, during the 2000 field season, an important discovery was brought to light in the lower levels. A small flint flake, indisputably knapped by human hands, confirmed the presence of human groups in the Sierra at least a million years ago. Who were these hominids? What was their role in those ecostytems? The answers to these questions could still be buried in the sediments of this fascinating site.

y un fragmento de mandíbula pertenecientes a la especie Homo heidelbergensis.

El yacimiento de la Sima del Elefante

Hace algo más de un millón de años, una de las muchas galerías subterráneas que horadaban la Sierra de Atapuerca se abrió al exterior formando la entrada de una cueva. Desde entonces, arcillas, arenas y rocas se fueron depositando para dar lugar a una larga y compleja secuencia de sedimentos que denominamos Sima del Elefante. El valor científico de la Sima del Elefante es enorme ya que proporciona información única sobre un periodo crítico en la evolución humana; precisamente cuando hace alrededor de un millón de años el clima del planeta comenzó a experimentar fuertes oscilaciones, dando lugar a profundos cambios en los ecosistemas.

Las excavaciones realizadas en los niveles inferiores de la Sima del Elefante han proporcionado abundantes restos de pequeños roedores, así como de ciervos y bisontes primitivos, hipopótamos, rinocerontes, e incluso de macaco y de castor. Son también frecuentes los vestigios de lobos, linces, zorros, osos y mustélidos pertenecientes a comunidades animales hoy desaparecidas. El importante hallazgo de restos de águila pescadora, junto con los de galápago, castor e hipopótamo, nos hablan, además, de un paisaje dominado por grandes extensiones de agua y ecosistemas de ribera hoy día inexistentes.

Pero, ¿vivían grupos humanos en Atapuerca hace un millón de años? La hipótesis de presencia humana en este remoto periodo fue planteada a la luz de las distintas evidencias recuperadas en la Sima del Elefante. Sin embargo, la escasez de las mismas exigía precaución en las interpretaciones. Por fin, durante la campaña del año 2000, se produjo un descubrimiento de gran transcendencia. Se trata de una pequeña lasca de sílex de indiscutible fabricación humana que confirma la presencia de grupos humanos en Atapuerca hace al menos un millón de años ¿Quienes eran esos homínidos? ¿Cómo se relacionaban en aquellos ecosistemas? La respuesta a estas preguntas puede que se esconda en los estratos del apasionante yacimiento de la Sima del Elefante.

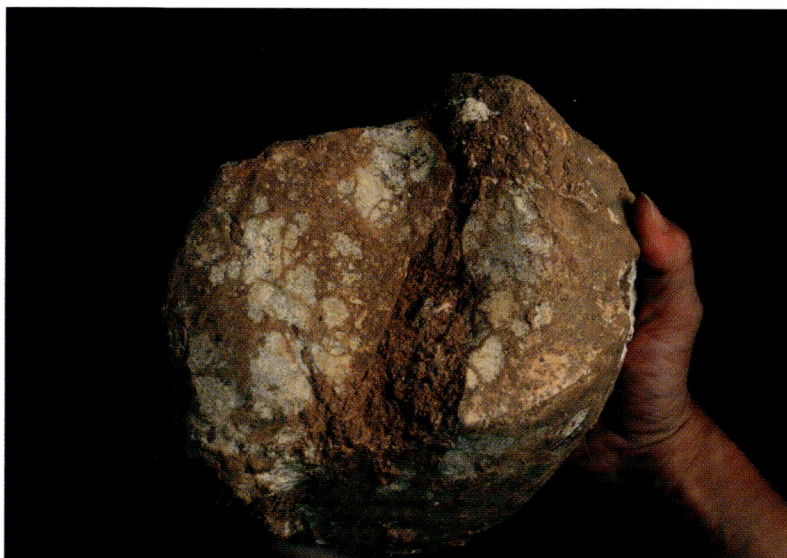

▶ Talus of an elephant from Elefante site.
Astrágalo de elefante delyacimiento del Elefante.

Mixed among the human fossils in the Sima de los Huesos, remains of at least 167 bears of the species Ursus deningeri *have been found, an ancestor of the cave bears.*

Mezclados entre los fósiles humanos, en la Sima de los Huesos aparecen restos de al menos 167 osos de la especie *Ursus deningeri*, un antepasado del oso de las cavernas.

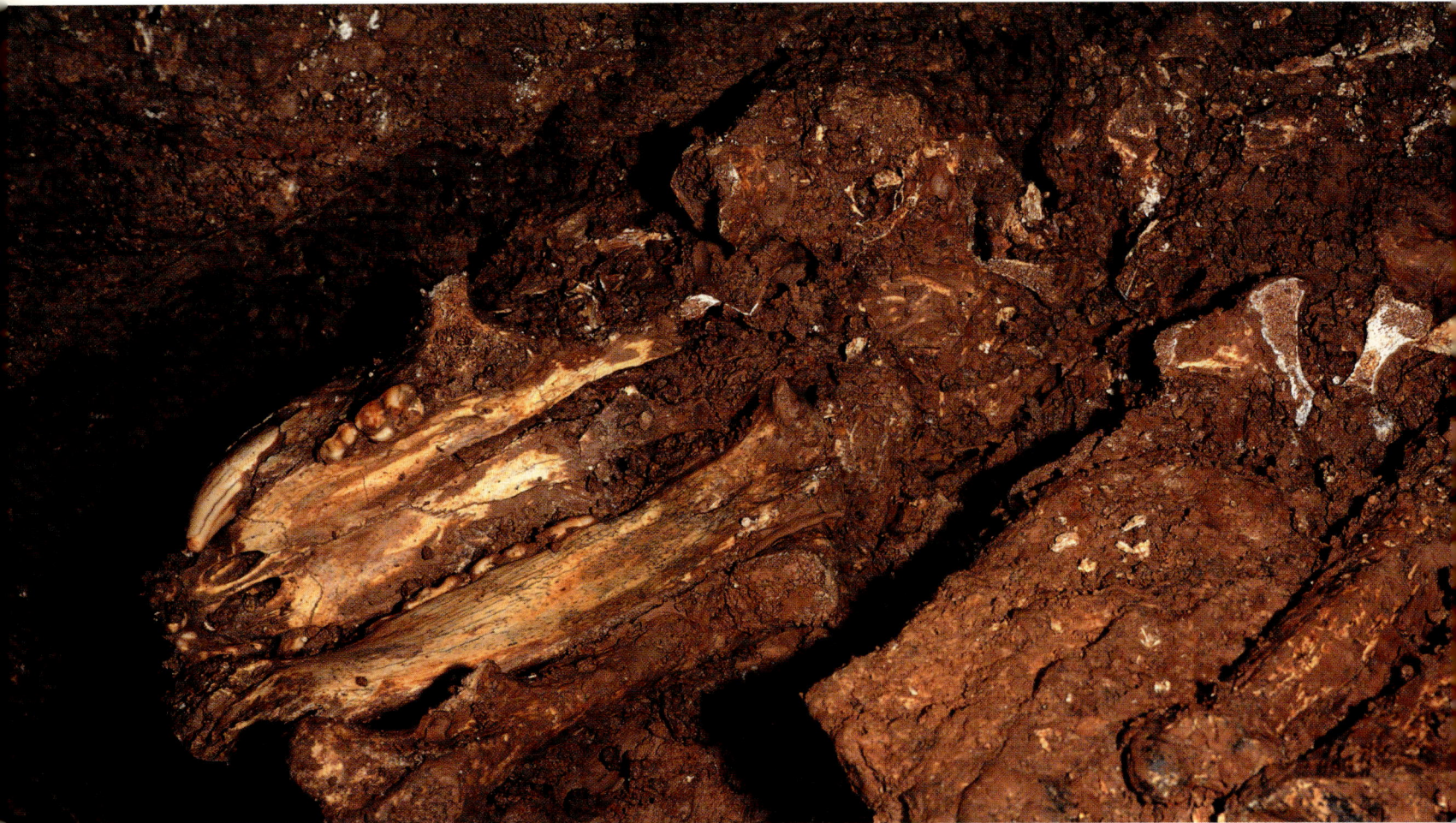

The Sima de los Huesos site (SH)

This site is located deep inside the Cueva Mayor, some 500 meters from the current entrance, at the bottom of a 13-meter-deep vertical shaft. The fossil-bearing sediments were capped by a speleothem which is in isotopic equilibrium, indicating a minimum age of 350,000 years old and corresponding to the Middle Pleistocene This site contains abundant human remains representing, at the current stage of excavation, at least 27 skeletons of the species Homo heidelbergensis, a direct ancestor of the Neandertals. Further, thousands of bear bones corresponding to more than 100 individuals have also been recovered, belonging to a species (Ursus deningeri) which is the precursor of the cave bear, as well as smaller numbers of remains of lions, lynxes and foxes.

El yacimiento de la Sima de los Huesos (SH)

En el interior de Cueva Mayor, a 500 metros de la entrada actual, se encuentra un pozo de 13 metros de profundidad, en cuya base se conserva un importante depósito fosilífero correspondiente al Pleistoceno medio, que está sellado por un espeleotema que presenta equilibrio isotópico, indicando una edad superior a 350.000 años. Este yacimiento contiene numerosos restos humanos pertenecientes, en la actual fase de excavación, a una treintena de esqueletos de la especie *Homo heidelbergensis*, antecesora directa de los Neandertales, así como miles de huesos de más de un centenar de úrsidos, pertenecientes a la especie precursora del oso de las cavernas (*Ursus deningeri*), y en menor proporción restos de león, lince y zorro.

Excavation works at Sima de los Huesos.

Excavación en la Sima de los Huesos.

dissolved by water that infiltrates through fractures and forms cavities. The resulting structure is known as Karst. While it is active, karst is a dynamic complex that can be affected by a variety of factors, some of which can lead to the filling of the cavities with outside sediments. In other cases, the cave entrances can act as refuges for humans as well as dens for animals. Sometimes they can also act as natural traps. The karstic complex at Atapuerca stands out for the perfectly intact state of its sediments, which contain remains accumulated during the course of the last one million years.

La caliza, que es la roca de la que esta hecha la Sierra de Atapuerca, es disuelta por el agua que se infiltra por las fracturas formando cavidades. A la estructura resultante se le llama Karst. El karst, mientras se encuentra activo, es un complejo dinámico que puede verse afectado por multitud de factores algunos de los cuales pueden dar lugar al relleno de las cavidades con sedimentos procedentes del exterior. En otros casos las entradas a las cuevas pueden actuar como refugios para los hombres y los animales que pueden tener allí sus cubiles. A veces también pueden actuar como trampas naturales. El complejo karstico de Atapuerca destaca por el perfecto estado de los diferentes rellenos que contienen acumulaciones de restos realizados a lo largo del último millón de años.

1

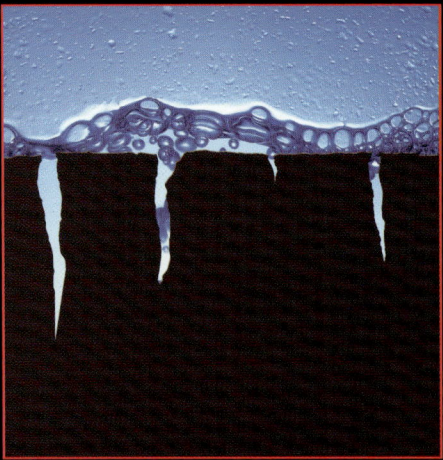

2

3

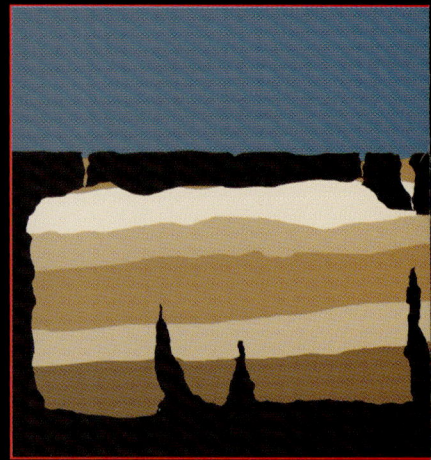

5

History of the discovery and conservation of the sites

The first reports of the existence of archaeological and paleontological remains in the caves of the Sierra de Atapuerca go back to 1863. In 1868, the mining engineers P. Sampayo and M. Zuaznavar published a thorough study of Cueva Mayor which detailed numerous geological and archaeological aspects of the cave. At the same time, they denounced the damage and degradation of the site due to the disrespectful behavior of visitors to the cave.

From 1896-1901, the English company "The Sierra Company Limited" constructed a mining railroad to transport iron ore from the nearby Sierra de la Demanda to the city of Burgos. During construction of the railway, a veritable trench ("Trinchera") was cut into the limestone of the mountain to allow the route to pass by the Sierra de Atapuerca. This trench exposed several previously collapsed cavities containing fossil-bearing sediments whose significance wasn't recognized at the time, but which today comprise the important sites described above.

During the first quarter of the 20th century, the evidence for cave art and the archaeological importance of the interior of Cueva Mayor was recognized through the studies of J. Carballo, H. Breuil, H. Obermaier, who includes Atapuerca in his book El Hombre Fósil (1912), and J.M. Santa-Olalla, after which the cave is definitively incorporated into studies of European Prehistory. Around this same time, the Spanish geologist J. Royo-Gómez is the first to mention the quaternary sediments in the "Trinchera del Ferrocarril" in an insightful study of the sierra which he carried out in 1926 for an excursion of the XIV International Geological Congress.

As a result of the abandonment of the mining railway in the 1950's, J.L. Uribarri, of the Grupo Espeleológico Edelweiss de Burgos (The Edelweiss Speleological Group of Burgos) began research in 1954 on the sediments in the Trinchera. This lead to the first excavations in the Sierra de Atapuerca conducted by F. Jordá of the University of Salamanca in 1962 and 1966. During the 1950's, the establishment of limestone quarries in the Trinchera led to the destruction of part of the sites, which moved the Grupo Edelweiss to begin a difficult battle for their protection. In October of 1968, the government finally regulated access to the caves and prehistoric sites in the Sierra de Atapuerca.

In 1972, G.A. Clark of the University of Arizona (USA), interested in the archaeological potential of the numerous cave sites in Burgos province, conducted a series of excavations both in the Trinchera and in the site of Portalón in Cueva Mayor, where he found a rich Bronze Age stratigraphic sequence. In December of this same year, the Grupo Edelweiss discovered the Galería del Sílex in Cueva Mayor, a funerary sanctuary dating to the Neolithic and Bronze Age and containing important archaeological remains. This exceptional discovery led J.M. Apelláñiz, of the University of Deusto, to excavate in the Portalón for 11 years (from 1972-1983), and established the importance of the Portalón for studies of recent Prehistory. Unfortunately, in addition to the continued quarrying activities, in 1972 a military artillery training ground was established in the Sierra de Atapuerca. This motivated the Provincial Government of Burgos in 1973 to begin the process of declaring the sites in the Sierra a Historic Artistic Monument.

In 1976, T. Torres, a student of Pleistocene bears, excavated with the Grupo Edelweiss in both the Trinchera and the Sima de los Huesos de Cueva Mayor, where, in addition to bear bones, they discovered human remains as well. This important discovery led E. Aguirre to create the

Historia del descubrimiento y conservación

Las primeras noticias sobre la existencia de restos arqueológicos y paleontológicos en las cavidades de la Sierra de Atapuerca se remontan a 1863 y es en 1868 cuando los ingenieros de minas P. Sampayo y M. Zuaznávar publican un excelente trabajo sobre Cueva Mayor en el que se detallan numerosos aspectos geológicos y arqueológicos y ya denuncian la destrucción y degradación de la misma por las visitas irrespetuosas de los que a ella acceden.

Entre 1896 y 1901 la compañía inglesa "The Sierra Company Limited" construye un ferrocarril minero para transportar mineral de hierro desde la Sierra de la Demanda a la ciudad de Burgos cuyo trazado a su paso por la Sierra de Atapuerca cortó las calizas dando lugar a una formidable "Trinchera" que sacó a la luz numerosas cavidades colmatadas con rellenos fosilíferos, que no fueron reconocidos en su momento, pero que hoy son los importantes yacimientos que se acaban de describir.

Durante el primer cuarto del siglo XX se reconocen las evidencias de arte rupestre y la importancia arqueológica del interior de Cueva Mayor con los estudios de J. Carballo (1910), H. Breuil (1912), H. Obermaier (1912, quien incluye Atapuerca en su obra de conjunto «El hombre Fósil») y J.M. Santa-Olalla (1925-1930), con lo que esta cavidad se incorporará definitivamente a las investigaciones sobre la Prehistoria europea. Por esas mismas fechas, en 1926, el geólogo español J. Royo-Gómez es el primero que cita por primera vez los rellenos cuaternarios en la "Trinchera del Ferrocarril"en el interesante estudio que sobre esta sierra realiza en 1926 para la excursión del XIV Congreso Geológico Internacional.

A raíz del abandono del ferrocarril minero en los años cincuenta, J.L. Uribarri, del Grupo Espeleológico Edelweiss de Burgos, inicia en 1954 las investigaciones sobre los rellenos de la Trinchera, propiciando que F. Jordá, de la Universidad de Salamanca, realice las primeras excavaciones en los yacimientos de la Sierra de Atapuerca en 1962 y 1966. También en los años 50 se instalan canteras de caliza en la misma Trinchera del Ferrocarril que destruyen parte de los yacimientos, con lo que el G.E. Edelweiss comienza una dura batalla para su protección, consiguiendo que el Gobierno Civil regule el acceso a las cuevas y yacimientos prehistóricos en octubre de 1968.

En 1972, G.A. Clark de la Universidad de Arizona (EEUU), interesado en conocer el potencial arqueológico de las cavidades burgalesas, realiza una serie de excavaciones tanto en los yacimientos de la Trinchera como en el Portalón de Cueva Mayor en el que detecta una interesante secuencia estratigráfica de la Edad del Bronce. En diciembre de ese mismo año el G.E. Edelweiss descubre la Galería del Sílex, santuario funerario de la Edad de Bronce y el Neolítico con un importante registro arqueológico. Este excepcional descubrimiento motivó a J.M. Apelláñiz, de la Universidad de Deusto, a excavar durante 11 años (entre 1972 y 1983) el Portalón de Cueva Mayor, cuyas investigaciones pusieron de manifiesto la gran importancia que para la Prehistoria reciente tiene este yacimiento. Desgraciadamente, además del avance de las canteras de caliza en 1972 se crea un campo de tiro militar en la Sierra de Atapuerca, lo que motivó a la Diputación Provincial de Burgos a iniciar en 1973 los trámites de declaración de Monumento Histórico Artístico de los yacimientos.

En 1976 T. Torres, estudioso de osos Pleistocenos, excava con el G.E. Edelweiss tanto en los yacimientos de Trinchera como en la Sima de

Although the mining railroad operated for only a short period of time, the iron rails of the train could still be seen in the Trinchera in 1924.

Aunque el tren minero funcionó durante muy poco tiempo en 1924 todavía podían verse las vías del tren en la Trinchera.

One of the old steam engines that ran through the Sierra de Atapuerca.

Una de las viejas máquinas de vapor que circularon por la Sierra de Atapuerca.

The quarry workers helped construct the Trinchera which cut through the Sierra de Atapuerca.

Los canteros de la zona trabajaron en la construcción de la trinchera que atravesó Sierra de Atapuerca.

first modern research project in the Sierra de Atapuerca with the twin goals of furthering our understanding of human evolution in Europe during the Middle and Upper Pleistocene and of forming a team of Spanish researchers capable of carrying out the excavations and future research.

Nevertheless, the destruction of the sites continued and the activities of treasure hunters and vandals, as well as the military, caused irreversible damage. The continued looting of the sites finally led the Junta de Castilla y León in 1987 to initiate the process to declare the sites in the Sierra de Atapuerca an Asset of Cultural Interest (Bien de Interés Cultural - BIC). In December of 1991, after 18 years of struggle and bureaucratic red tape, the resolution was approved, covering an area of 2.5 Km², less than one third of the total surface area of the Sierra, and providing the highest level of protection established under the Law 16/85 regarding Spanish Heritage.

With the retirement of E. Aguirre in 1990, the current co-directors, professors J. L. Arsuaga, J.M. Bermúdez de Castro and E. Carbonell, assumed control of the project. The 1990's were a prodigious decade, with important new discoveries in the Sima de los Huesos and Gran Dolina. Today Atapuerca is a highly prestigious scientific project and enjoys a significant social impact due to the combination of high quality research published in major scientific journals and efforts by the research team to popularize the latest and most important discoveries. Recognition of both these accomplishments came in 1997 when the research team was awarded two highly prestigious awards: the "Premio Príncipe de Asturias de Investigación Científica y Técnica" (the Prince of Asturias Award for Scientific and Technical Research) and the "Premio Castilla y León de Ciencias Sociales y Humanidades" (the Castilla y León Award for Social Sciences and Humanities).

On November 30, 2002 UNESCO declared the Sierra de Atapuerca a World Heritage Site due to its authenticity and exceptional nature. We hope that this declaration will guarantee the preservation of the Sierra for future generations, but this effort concerns all of us. With this award, Atapuerca enters the 21st Century forming part of our global cultural heritage, surpassing international borders and languages, and reaches the end of a long journey initiated in the 19th century, during which countless individuals have taken an active role in protecting, investigating and disseminating the extraordinary significance of this unique place.

los Huesos de Cueva Mayor, en donde recuperan además de restos de oso, algunos restos humanos. Este importante hallazgo llevó a E. Aguirre a plantear en 1977 el primer proyecto de investigación moderno cuyos objetivos eran conocer la Evolución Humana en Europa durante el Pleistoceno Inferior y Medio y formar un equipo de investigadores españoles capaz de llevar adelante tal investigación.

Sin embargo, no se detienen las agresiones a los yacimientos y las actividades de furtivos, aventureros y gamberros, así como del ejército, provocan un deterioro irreversible. Los continuos expolios propiciaron finalmente que en 1987 la Junta de Castilla y León iniciara los trámites para la declaración de Bien de Interés Cultural (BIC) de los yacimientos de la Sierra de Atapuerca (delimitando un área de 2,5 km², menos de una tercera parte de la superficie total de la Sierra), resolución que se produjo definitivamente en diciembre de 1991, tras 18 años de luchas y trámites, alcanzando así el mayor grado de protección que establece la Ley 16/85 sobre Patrimonio Histórico Español.

En 1990 se jubila E. Aguirre y se hacen cargo del proyecto los profesores J.L. Arsuaga, J.M. Bermúdez de Castro y E. Carbonell que lo dirigen en la actualidad. La década de los noventa ha sido prodigiosa para los yacimientos y sus investigaciones, con los nuevos descubrimientos en la Sima de los Huesos y la Gran Dolina. Gracias a una excelente labor científica y divulgativa por parte del equipo de investigación, hoy día el proyecto de Atapuerca tiene una gran prestigio científico y una gran repercusión social. El reconocimiento a esta doble labor llega en 1997 cuando el equipo es galardonado con dos importantísimos premios: el "Premio Príncipe de Asturias de Investigación Científica y Técnica" y el "Premio Castilla y León de Ciencias Sociales y Humanidades". El 30 de noviembre de 2000 la UNESCO declara Patrimonio de la Humanidad a los yacimientos de la Sierra de Atapuerca debido a su excepcionalidad y autenticidad. Esperemos que esta declaración pueda garantizar la conservación de la Sierra para las generaciones futuras, pero esta labor nos atañe a todos. Con este galardón Atapuerca entra, a las puertas del siglo XXI, a formar parte del Patrimonio Mundial, aquel que sobrepasa las fronteras de las administraciones y los idiomas, alcanzándose el final de una larga etapa iniciada a mediados del siglo XIX, a la que se han sumado muchas voces para proteger, conocer y difundir de manera integral los extraordinarios valores de este patrimonio único.

A fundamental problem facing all paleontologists is how to date the sites they work at and the fossils they recover. The classic, or paleontological, dating method attempts to situate them within their ancient environment, with the animals and plants that surrounded them. The dating of a site by its fossils is known as Biochronology, and the presence of a species named Mimomys savini in the sediments of the Gran Dolina has been used to chronologically place the fossils which are contemporaneous with this rodent.

However, other dating methods are based mainly on radioactive decay of certain natural elements which occurs at known rates in the environment. This form of measuring geological time is known as Geochronometry. Biochronology and Geochronometry together form the science of Geochronology. The natural elements which spontaneously change from one form to another are known as radioactive elements because, upon doing so, they emit radiation. However, they aren't dangerous to humans, unlike the nuclear bombs which, based on the same principles, have been developed for destructive purposes.

We have seen that the radioactive elements change from one form to another at a constant rate known to physicists. At the moment when a rock was formed or an animal died, only the initial element existed, which we will call the parent element. When the object to date is analyzed, whether a rock or an animal, and it is discovered that part of the parent element has changed into a daughter element we have a way to measure the amount of time that has transpired. The half-life of a radioactive element is the amount of time necessary for half of the original parent element to change into a daughter element.

Dating methods based on the radioactive decay of elements can be used on different types of rock as well as directly on the fossils excavated from paleontological sites. The methods known as Potassium-Argon dating (K/Ar) Argon-Argon dating (Ar^{39}/Ar^{40}) and fission-track dating are used on volcanic rock. Although this type of rock is frequent in Africa and on Java, it is generally not found in archaeological sites in Europe. Other radiometric methods rely on different radioactive elements, such as C^{14} or Uranium Series dating. The C^{14} technique (the first method to be developed) can only be applied to organic materials, whether animal or vegetal, but is very accurate and provides a direct date of the object in question. Unfortunately, it yields reliable results only up to about 50,000 years ago.

As water courses through the limestone bedrock in karstic cave systems (see the discussion of karst formation), it forms speleothems, or stalactites and stalagmites, through the precipitation of dissolved calcium carbonate. In certain favorable situations when the carbonate crystals are sufficiently pure, speleothems can be dated by the Uranium series method. This technique has a maximum reliable limit of up to 350,000 years ago. In the Sima de los Huesos, the paleontological deposits containing human fossils are covered by a speleothem which is at least this old.

However, in many cases, archaeological sites don't contain any datable speleothems. In these circumstances, paleontologists must resort to other techniques, such as electron spin resonance (ESR) or thermoluminescence (TL), and its variants known as optically stimulated luminescence (OSL) and infrared stimulated luminescence (IRSL). All of these techniques are related, relying on similar assumptions, but can be applied to different materials. ESR is generally used on tooth enamel from faunal remains, while the luminescence methods are applied to burnt flint instruments or a variety of sediments which have been exposed to sunlight. In more modern contexts, they can also be applied to ceramics and pottery. All these techniques rely on the assumption that a mineral, such as flint, just like a tooth or bone, acts as a natural trap which accumulates the radiation to which it is exposed over a long period of time.

Radiation, as discussed previously, is a direct consequence of the transformation of one element into another, and the amount of radiation received by an object is a measure of the amount of time which has transpired, so that more radiation means a longer period of time.

Un problema fundamental de los paleontólogos es el de cómo datar los yacimientos y los fósiles que contienen.

Para devolver a los fósiles humanos a su tiempo pretérito intentamos situarlos en su antigua Biosfera, con los animales y plantas con los que convivieron. Éste es el método clásico de datación, o método paleontológico si se quiere. La datación de los yacimientos por los fósiles se conoce como Biocronología. En los sedimentos del yacimiento de la Gran Dolina, la presencia de la especie denominada Mimomys savini, ha servido para situar cronológicamente a los fósiles que fueron contemporáneos de éste roedor.

Pero hay otros métodos de datación que se basan en la transformación, que tiene lugar en la Naturaleza sin intervención humana, de unos elementos químicos en otros. Esta forma de medir el tiempo geológico se denomina Geocronometría. La Biocronología y la Geocronometría juntas forman la Geocronología. Los elementos químicos que se transforman espontáneamente en otros se llaman elementos radiactivos, porque emiten radiación al hacerlo. No son peligrosos para el hombre, a diferencia de las bombas nucleares que, basadas en los mismos principios, se han desarrollado con fines de destrucción masiva.

Hemos visto que los elementos radiactivos se transforman en otros a un ritmo constante que los físicos conocen. Al principio cuando se formó la roca o murió el animal, sólo existía el elemento inicial al que vamos a llamar elemento padre. Cuando se analiza el objeto a datar, fósil o roca, y se descubre qué parte del elemento padre ha pasado a convertirse en el elemento hijo ya tenemos una forma de medir el tiempo que ha transcurrido. Supongamos que sabemos que la mitad del elemento padre se transforma en el elemento hijo en 10.000 años: ese tiempo es el que se conoce como la vida media del elemento radiactivo.

Los métodos de datación basados en la emisión radioactiva de los elementos, pueden ser utilizados en diferentes tipos de rocas o directamente sobre los fósiles de un yacimiento paleontológico. El método radiométrico del Ar^{39}/Ar^{40} y de las trazas de fisión se utiliza con rocas volcánicas, que, aunque frecuentes en el este de África y en Java, no se encuentran en los yacimientos con fósiles humanos de Europa. Otros métodos radiométricos utilizan elementos radiactivos distintos, como el C^{14} o las Series de Uranio. El método del C^{14} (el primero que se usó) se aplica sólo a materiales orgánicos, sean de origen animal o vegetal, es muy fiable y nos da directamente la edad de lo que se quiere datar. Desgraciadamente, su alcance, incluso aplicando las últimas mejoras, no supera los 50.000 años.

En las cuevas son frecuentes los espeleotemas (estalactitas y estalagmitas), que se forman continuamente por precipitación del carbonato cálcico disuelto en el agua. En los casos favorables en que los cristales de carbonato son lo sufi-cientemente puros, los espeleotemas pueden datarse por la técnica de las Series de Uranio hasta un límite máximo cercano a los 350.000 años de antigüedad. En la Sima de los Huesos, un espeleotema formado encima del depósito paleontológico con fósiles humanos, tiene al menos esta edad. Pero en muchas ocasiones, ni siquiera se dispone de espeleotemas datables en los yacimientos. Para estos casos se han desarrollado unas técnicas relacionadas entre sí, llamadas resonancia de espín electrónico (ESR) y termoluminiscencia (TL), con sus variantes de luminiscencia estimulada ópticamente (OSL) o por infrarrojos (IRSL). La técnica de ESR se usa generalmente con esmalte de dientes de mamíferos y las técnicas de datación por luminiscencia se aplican a instrumentos de sílex quemados o a una variedad de sedimentos expuestos a la luz solar (y para períodos más modernos a la cerámica). El fundamento de ambas técnicas consiste en que tanto un mineral, el sílex o pedernal por ejemplo como un diente o un hueso, funcionan como dosímetros naturales, que acumulan la radiación que reciben a lo largo del tiempo. La radiación es, como se ha dicho, consecuencia directa de la transformación de un elemento en otro, por lo que la cantidad recibida es una medida del tiempo transcurrido: cuanta más radiación más tiempo. Sin embargo, veremos a continuación que no es lo mismo datar un trozo de pedernal, una roca después de todo, que un diente.

El pedernal fue uno de los materiales más utilizados en el Paleolítico para la confección de instrumentos de piedra. Si en un momento del pasado a un

Nevertheless, we will see that dating a piece of flint is not the same as dating a tooth.

Flint was one of the most frequently used raw materials for making stone tools during the Paleolithic. If at some moment in the remote past, a prehistoric hominid dropped or threw a piece of flint into the campfire, the high temperature would free all the energy (radiation) which the flint had previously accumulated since its geological formation millions of years before. This is referred to as zeroing the radiometric clock. From this point forward, the flint will begin to accumulate radiation again at a rate which varies according to the particular conditions of the sediments in which it is buried. After excavation, geochronologists heat the burnt flint to a temperature greater than 450° C in the laboratory. This causes the flint to release all the energy which it had accumulated since being buried at the site, emitting a light whose intensity is proportional to the amount of energy accumulated.

The age of the site is obtained by dividing the total accumulated energy of the flint, known as the paleodose, by the annual radiation dosage which the flint received. If it had received a low annual dosage at the site and had accumulated a large amount of energy, the age of the fire which originally heated the flint, and hence the archaeological level in which it was found, is greater. If the annual dosage was large, the age of that same fire made by Prehistoric humans was younger, even if the paleodose of the flint is the same. This is why it is so important to accurately measure the annual dosage.

The annual dosage, in turn, depends on several internal and external factors. The internal radioactivity depends on the concentration of radioactive elements in the material itself, while the external radioactivity is a function of both the concentration of radioactive elements in the surrounding soil and cosmic rays from the environment. The radioactive elements present in the soil are variants, known as isotopes, of uranium (U), thorium (Th) and potassium (K). All these intervening variables can be measured, and after including them in a mathematical formula, an age for the flint is determined.

If no burnt flint is available, electron spin resonance (ESR) can be applied to fossilized bones and teeth recovered from the archaeological site. Tooth enamel, which is formed of more than 96% hydroxyapatite, is generally used, and the basic equation is the same as in the case of TL just described. That is, the age of the fossil = paleodose / annual dosage. Nevertheless, the way of measuring the paleodose of the fossil is different, and doesn't rely on heating the material.

Speleothems can also be dated by this technique. However, there is a fundamental difference between dating a stalactite and a fossil tooth. The main problem with applying the ESR method to teeth stems from the external radiation which the fossil has received, produced by the decay of a radioactive isotope of uranium. During the formation of a stalactite by precipitation of the calcium carbonate dissolved in water, the radioactive uranium which was also dissolved in the water, is also absorbed by the rock. However, living mammals don't have radioactive uranium in their tissues, and their fossilized remains must have incorporated it after they had died and were buried at the site. The ESR method considers several simple models of uranium acquisition (uptake) after the death of the animal. The most frequently employed models assume either an early uptake (EU) of uranium after death or a continuous (linear) uptake (LU). In reality, however, the situation is often much more complex, with different episodes of uranium uptake occurring at irregular intervals.

For this reason, we can't speak of absolute dates when we work with fossils, but rather only of radiometric dates, whose reliability depends on whether the assumptions of the model approach reality. Recently, Uranium Series dating is being combined with the ESR method to obtain more reliable chronologies of faunal remains. In the time periods where they overlap (i.e. less than 350.000 years ago) the Uranium Series date can help identify the correct uptake model to use when calculating the

hombre prehistórico se le cayó un útil de sílex a un fuego del campamento, o lo arrojó deliberadamente, el calentamiento que sufrió el sílex le hizo perder toda la energía acumulada anteriormente (desde que se formó el mineral, millones de años antes); se dice que el reloj radiométrico se puso a cero en ese momento.

En el laboratorio, los geocronólogos someten el sílex quemado a una temperatura superior a los 450 C° y el instrumento vuelve a liberar la energía acumulada durante todo el tiempo que estuvo enterrado en el yacimiento, emitiendo luz cuya intensidad es proporcional a la energía acumulada.

La edad del yacimiento se obtiene a partir del cociente entre la energía total acumulada durante el período de enterramiento (llamada paleodosis) y la dosis anual de radiación que ha recibido el mineral. Si ha recibido poca dosis cada año en el yacimiento y acumulado mucha al final, la edad del fuego que calentó el pedernal es mucha. Si la dosis anual era muy grande, la edad de aquel fuego que hicieron los hombres prehistóricos será menor, aunque la dosis total sea la misma. Por eso es tan importante medir la dosis anual. Esta dosis anual depende a su vez de factores internos y externos. La radiactividad interna depende de la concentración de elementos radiactivos que tenga el mineral, mientras que la externa está en función de la concentración de elementos radiactivos que contenga el sedimento donde se encontraba el sílex y de los rayos cósmicos en el ambiente. Los elementos radiactivos presentes en el sedimento son variantes, llamadas isótopos, del uranio, torio y potasio. Todas estas variables que intervienen en la ecuación pueden ser medidas, y una vez introducidos sus valores en la fórmula, el sílex queda datado.

Si no se dispone de sílex quemado, pero sí de huesos o dientes fósiles se puede aplicar la técnica de resonancia de espín electrónico (ESR). Generalmente se usa el esmalte dental, que está formado en más del 96% por un mineral llamado hidroxiapatito. La ecuación básica es la misma que en el caso de la técnica de TL, es decir: edad del fósil = paleodosis / dosis anual. Sin embargo, cambia el modo de medición de la paleodosis o dosis acumulada (la dosis de radiactividad que el fósil ha recibido durante el periodo de enterramiento), que no precisa de calentamiento del material.

También los espeleotemas se pueden datar con esta técnica. Sin embargo, hay una diferencia fundamental entre la datación de una estalactita y la de un diente fósil. El problema fundamental de la técnica de ESR aplicada a dientes estriba en el origen de la radiación interna que ha recibido el fósil, producida por la desintegración de un isótopo radiactivo del uranio. Cuando se formó la estalactita por precipitación del carbonato cálcico disuelto en el agua también se incorporó a la roca el uranio radiactivo que iba disuelto en el agua. Sin embargo, como los mamíferos vivos no tienen uranio radiactivo en sus tejidos, sus restos fosilizados lo tienen que haber incorporado una vez muertos y ya enterrados en el yacimiento. Las dataciones trabajan sobre diversos modelos simples de adquisición del uranio después de la muerte del animal. Los más utilizados suponen adquisición temprana del uranio después del enterramiento (EU) o incorporación continua a un ritmo constante a lo largo del tiempo (LU), pero muchas veces la realidad puede ser bastante más compleja, con diversas ganancias irregulares de uranio.

Por eso no puede hablarse cuando se trabaja directamente con fósiles de datación absoluta o exacta, sino sólo de datación radiométrica, cuya fiabilidad depende de que la realidad se parezca al modelo. Últimamente se combinan las dataciones por Series de Uranio y ESR para obtener cronologías más fiables a partir de tejidos animales fósiles. Teóricamente el método de datación por resonancia de espín electrónico permite superar el límite cronológico de las Series de Uranio (situado en unos 350.000 años de antigüedad), y se están obte-niendo edades mayores cuya exactitud está aún por contrastar. En los yacimientos de la Sierra de Atapuerca se está aplicando a los fósiles de hace 800.000 años, y parece que funciona con éxito.

Por último, queda por comentar un método de aproximación al problema de la datación de los fósiles que no da una edad de ningún tipo, ni absoluta ni relativa, pero que ayuda a conocerla. Se trata del paleomagnetismo, que consiste en averiguar la situación de los polos magnéticos cuando se formó el yacimiento. Aunque parezca mentira, los polos magnéticos norte y sur han intercambiado muchas veces su posición, y esos cambios se han podido datar

ESR date. Theoretically, the ESR technique can also provide dates beyond the limit of Uranium Series (350,000 years ago), and older dates are being obtained whose precision is still untested. At some of the sites in the Sierra de Atapuerca, it is being applied to fossils which are known to be 800,000 years old and seems to yield reliable results. Ultimately, the application of several dating techniques to a variety of materials at the same site will provide the best chronology possible.

Finally, we should mention a method which provides neither an absolute nor a relative date, but can still help us ascertain the age of a site. Paleomagnetism consists of establishing the orientation of the Earth's magnetic poles when the site was formed. Although it seems hard to believe, the north and south magnetic poles have reversed their positions numerous times during the history of the Earth, and these changes have been accurately dated. Thus, geological time can be divided into periods of normal polarity, the present situation, and reversed polarity. If we can identify the "fossil" polarity of a site, or of a particular level at a site, we can rule out those time periods when the polarity was the opposite. At a site with many levels, more than one polarity change can often be detected, which makes it easier to solve the question of its geological age. This change in the polarity of the magnetic field has been identified in the Gran Dolina, confirming the previous biochronological dates and establishing that the fossils representing Homo antecessor are at least 780,000 years old.

con mucha precisión. Así se ha podido dividir el tiempo en épocas de polaridad normal, como lo es por definición la actual, y épocas de polaridad invertida. Si somos capaces de identificar la polaridad "fósil" de un yacimiento, o de un nivel de un yacimiento, podemos descartar que pertenezca a las épocas en las que la polaridad era la contraria, con lo que se resuelve la mitad del problema. En un yacimiento que tenga muchas capas se puede llegar a detectar más de una cambio de polaridad, lo que facilita aún más la solución del problema de la datación. Este cambio en la dirección del campo magnético ha sido observado en el yacimiento de la Gran Dolina. De éste modo se han podido confirmar las dataciones biocronológicas realizadas previamente y determinar que los fósiles de la especie *Homo antecessor* tienen al menos una edad de 780.000 años.

Mandible of Mimomys savini
Mandíbula de *Mimomys savini.*

AT2 *The pleistocene ecosystems*
of the Sierra de Atapuerca

Twenty-five years of research and excavations in the Sierra de Atapuerca have allowed scientists to vividly and precisely reconstruct the landscape, flora and fauna during different moments of the Pleistocene.

Veinticinco años de excavaciones e investigación en la Sierra de Atapuerca han permitido a los científicos reconstruir los paisajes, la flora y fauna de distintos momentos del Pleistoceno con precisión y viveza.

Vegetation

The climatic oscillations which occurred during the Pleistocene caused changes in the natural environment, giving rise to distinct ecosystems. The reconstruction of these ecosystems through the fossil record can give us a good idea of the different landscapes which developed over the course of time in the Sierra.

The record of fossilized pollen is used to study the vegetational history of the Sierra de Atapuerca. To date, pollen analysis has been carried out at the sites of Gran Dolina and Galería, in the Trinchera. Between them an ample time period is covered, ranging from the end of the Lower Pleistocene, approximately 900,000 years ago, to the end of the Middle Pleistocene, some 200,000 years ago.

It should be clarified that in the Gran Dolina, the archaeological levels are numbered from the base upwards. This numbering system is the opposite of that used at most archaeological sites. However, since the site has been cut by the railway trench, the entire stratigraphy is visible, and it isn't necessary to excavate the site to know how many levels there are.

In the lower part of the sequence, in level TD4, some 900,000 years ago, there is a high percentage of tree pollen with a predominance of oak species (the precise species cannot currently be identified), together with wild olive trees. This brings to mind a wooded environment with Mediterranean vegetation, although with distinct characteristics, since other species typical of more humid climates are also present, such as beech, walnut and birch trees. Pollen from pine trees is also present. However, this data is more difficult to interpret, since these trees spread their pollen through the wind. Thus, even if the trees are located several kilometers away, there is always a high concentration of their pollen in the air.

In the next level, TD5, the percentage of tree pollen is somewhat reduced. Further, the species typical of humid climates disappear, increasing the importance of the oak species, and indicating that the climate was drier than in the previous level.

Level TD6 dates to around 800,000 years ago and corresponds to a transition from a cold glacial period to a milder interglacial period. Thus, the lower part of this level shows a low percentage of oak pollen, while cypress species abound, such as savines and junipers, which are typical of cold dry climates. In the upper part of TD6, in the Aurora stratum where the remains of Homo antecessor were found, cypress species are barely present, and species typical of a Mediterranean climate, such as wild olive trees or the lentisk (Pistacia), appear.

In level TD7, the percentage of tree pollen is moderately high and, again, oak species predominate. These appear together with Mediterranean species, such as wild olive trees and vines, as well as more humid climate species such as beech trees.

In TD8, some 600,000 years ago, a different landscape is encountered, marked by the importance of warm and humid climate species, such as chestnut, beech and birch trees.

Finally, in TD10, about 350,000 years ago, there is a high proportion of tree pollen dominated by pine species, which leads us to believe that the climate was colder and drier than in the lower levels.

To continue our journey through time we must change sites to consider the stratigraphic sequence at the Galería site. The lower units, GI–II don't contain sufficient pollen to draw any conclusions. In unit GIII, which dates to around 340,000 years ago, the landscape is once again

La vegetación

Las oscilaciones climáticas ocurridas durante el Pleistoceno provocaron cambios en el entorno natural, dando lugar a distintos ecosistemas que han podido ir siendo reconstruidos a partir del registro fósil hasta llegar a hacernos una idea bastante aproximada de los distintos paisajes que, a lo largo de este tiempo, se desarrollaron en la Sierra.

El registro fósil que se utiliza para estudiar la vegetación de momentos pasados en la Sierra de Atapuerca es el polen, y los yacimientos que lo proporcionan son Gran Dolina y Galería. Entre ambos cubren un amplio periodo de tiempo que va desde finales del Pleistoceno inferior, hace aproximadamente 900.000 años, hasta finales del Pleistoceno medio, hace unos 200.000 años.

Conviene aclarar que en la Gran Dolina los niveles se numeran de abajo arriba, en contra de lo que suele ser habitual; pero al estar el yacimiento cortado por la trinchera del ferrocarril, la estratigrafía del yacimiento está a la vista y, por lo tanto, no hay que esperar a excavarlo todo para conocerla y numerar sus niveles.

En la parte baja de la secuencia de Gran Dolina, en el nivel TD4, hace unos 900.000 años, encontramos un porcentaje elevado de polen de árboles en el que dominan los robles y las encinas/quejigos (hasta el momento no se ha podido precisar la especie), junto con polen de olivo silvestre. Lo que nos puede dar idea de que se trataba de un medio boscoso con una vegetación de carácter mediterráneo, aunque con características particulares dado que también aparecen especies propias de climas más húmedos como hayas, nogales y abedules. Además se encuentra polen de pinos; pero este dato es más difícil de ponderar, ya que estos árboles polinizan por medio del viento, y esto hace que, aunque se encuentren a muchos kilómetros de distancia, la concentración de su polen en el aire sea siempre alta.

En el siguiente nivel, TD5, el porcentaje de polen de árboles es algo menor, y en él desaparecen las especies propias de climas más húmedos, aumentando la importancia de las encinas/quejigos, lo que nos indica que el clima era probablemente más seco que en el periodo anterior. El nivel TD6 nos sitúa hace unos 800.000 años, y corresponde a una transición desde una etapa glaciar a un interglaciar. Así, su parte inferior presenta un porcentaje bajo de polen de robles y de encinas/quejigos mientras que abundan las cupresáceas (sabinas y enebros), típicas de ambientes áridos y fríos, pero van disminuyendo según se asciende por este nivel. En la parte superior de TD6, el estrato Aurora donde aparecieron los restos de Homo antecesor, las cupresáceas ya están muy poco representadas, y aparecen especies de clima mediterráneo como el acebuche o el lentisco (Pistacia).

En el nivel TD7 la proporción de polen de árboles es moderadamente alta, y dominan, como siempre, los robles y las encinas/quejigos. Además aparecen mezcladas especies de clima mediterráneo, como el olivo y la vid silvestres, con otras de clima húmedo como las hayas. En TD8, hace unos 600.000 años, nos encontramos con un paisaje diferente, marcado por la importancia que adquieren las especies de clima templado y húmedo, como castaños, hayas y abedules.

Por último, en TD10, hace unos 350.000 años, existe una elevada proporción de polen de árboles, pero dominada por los pinos, lo que nos lleva a interpretar que el clima era frío pero más seco que en los niveles inferiores.

Para continuar nuestro recorrido en el tiempo debemos cambiar de yacimiento y pasar a considerar la secuencia de Galería. Las unidades

dominated by oak species together with other trees such as beech, hazel, chestnut, ash and willows.

The final period for which we have pollen information is Galería unit IV, some 150,000-200,000 years ago where the warm and humid forest species disappear, giving way to Mediterranean species, such as the wild olive, the lentisk or honeysuckle.

From what has been laid out above, we can conclude that the landscape surrounding Atapuerca suffered climatic changes throughout the Lower and Middle Pleistocene correlated with the glacial-interglacial cycles. The nature of these changes is well represented in TD6, where we can see that the changes from a glacial period to an interglacial period, although marked, were not as drastic as in more northerly latitudes. In fact, at no point does the vegetation disappear, and trees are always present. Rather, we see a replacement of the Mediterranean species by those which are more resistant to cold and aridity.

In general, the landscape has been dominated throughout this epoch by oak species and has varied primarily in the proportion and variety of species that accompany them. In some cases, these were warm and humid species, while at other times Mediterranean types, less tolerant of cold but better adapted to aridity, were more abundant. During moments of more extreme climatic conditions, oak species were relegated to a few refuge zones and the landscape was dominated by wooded steppes with cypress species. We can infer from this that during this time period the successive vegetational regimes in the Sierra de Atapuerca, both during warmer and colder times, were probably quite similar to those which are currently distributed throughout the Iberian Peninsula.

inferiores, GI y GII, no contienen polen suficiente para llegar a ninguna conclusión, pero sí la unidad GIII, datada en unos 340.000 años antes del presente. El paisaje en esta época está una vez más dominado por encinas/quejigos y robles, aunque en la parte inferior hay mayor abundancia de robles. Junto a ellos aparecen, sobre todo en la parte inferior del nivel, otros árboles como hayas, avellanos, castaños, fresnos o sauces. El último periodo del que tenemos información palinológica está representado en la unidad GIV, en torno a 150.000-200.000 años. Aquí desaparecen las especies de bosques más húmedos y aumentan las de carácter mediterráneo, como el acebuche, el lentisco o la madreselva (*Lonicera*).

De lo hasta ahora expuesto se podría concluir que el paisaje del entorno de Atapuerca sufrió a lo largo del Pleistoceno inferior y medio cambios correlacionados con las etapas glaciares-interglaciares. La naturaleza de estos cambios está bien representada en TD6, donde se puede observar que, en la Sierra, los cambios de un periodo glaciar a un interglaciar, aunque acusados, no eran tan drásticos como en latitudes más septentrionales. De hecho no se constata que en ningún momento llegue a desaparecer la vegetación, ni siquiera el estrato arbóreo, lo que ocurre es que se instalan especies más resistentes al frío y a la aridez como las cupresáceas (sabinares y enebrales) en detrimento de las mediterráneas, que exigen temperaturas más altas.

El paisaje en general ha estado dominado en esta época, por las encinas/quejigos y los robles, y las variaciones se han manifestado, fundamentalmente, en la proporción y variedad de especies acompañantes. En unos casos eran especies de clima templado y húmedo, como hayas, castaños, o nogales, y en otros momentos el equilibrio se desplazaba a favor de las especies más mediterráneas, menos tolerantes del frío pero más adaptadas a la aridez, sobre todo en verano (acebuche, lentisco). En ocasiones extremas los robles y las encinas/quejigos se veían relegados a zonas de refugio y el paisaje era dominado por estepas arboladas con sabinares y enebrales. Se podría inferir de esto que durante este período las formaciones vegetales que se sucedieron en la Sierra de Atapuerca, tanto en los períodos más fríos como en los más cálidos, probablemente fueran bastante similares a algunas de las que actualmente se distribuyen por la península Ibérica.

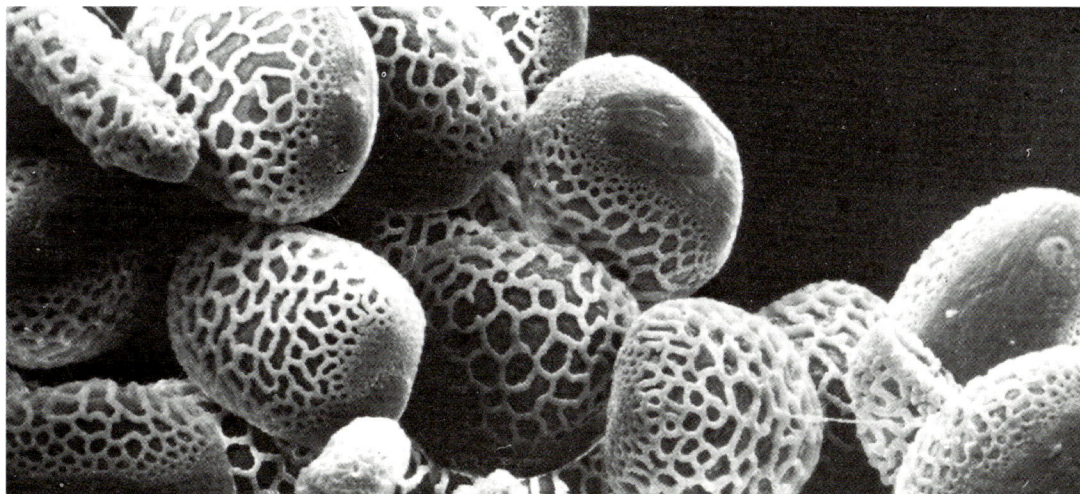

Pollen seen through an electronic microscope.
Polen visto al microscopio electrónico

Fauna

As we have seen, if we were walking around in the Sierra de Atapuerca during the Pleistocene, the landscape would be familiar to us. Anyone who has recently traveled throughout the Iberian Peninsula would recognize the vegetation and would remember having seen similar landscapes. However, the same can't be said of the animals we would find. Lions, jaguars, sabre-tooth cats or hyenas were competing with the hominids in hunting or scavenging the remains of rhinoceroses, bison, giant deer, elephants and even hippopotamuses.

Just as the landscape changed through the course of time, so did the animals, particularly the mammals, which inhabited the Sierra and its immediate surroundings, although not in a cyclical manner. This is clearly different from the rest of Europe, where we can speak of a "glacial fauna" and an "interglacial fauna" composed of different species and which parallel the climatic and vegetational changes. During the glacial periods, species which couldn't survive in the cold central European steppes, such as deer, hippopotamuses or wild boar, disappeared from these areas and were replaced by more cold-adapted species which during interglacial times lived further north, such as arctic foxes, reindeer, wooly rhinos and mammoths. At Atapuerca, we can only speak of faunal complexes which occur through time. However, rather than representing an adaptation to two climatic extremes, changes in species composition are due to evolutionary factors or migration.

An important type fossil at Atapuerca is the water vole, Mimomys savini, which went extinct a little more than 500,000 years ago and was replaced by another species, Arvicola cantianus, which was very similar to living voles. Thus, the fossils that are associated with Mimomys savini are all older than 500,000 years, while those which are found with Arvicola cantianus are more recent in time.

The three sites where most work has been done to date are the Gran Dolina, Galería and the Sima de los Huesos. We know there are both older and younger fossils in other caves in the Sierra which are currently being prospected. The Sima del Elefante in the Trinchera contains the oldest levels in Atapuerca, while el Mirador and the site of Portalón, in the entrance to Cueva Mayor, have the youngest. In the Gran Dolina, Mimomys savini is found from levels TD3 through the lower part of TD8, some eight and a half meters of sediments which span the time period from nearly one million years ago to just older than 500,000 years ago. The large mammals that inhabited the Sierra de Atapuerca in ancient times were quite varied and would have been a spectacular sight to see. In terms of the herbivores, there were large double-horned rhinoceroses of the species Stephanorhinus etruscus, wild boar, horses, long-legged bison and deer. There were also primitive giant deer and mammoths. In TD7, the hind legs of a musk ox were recovered, a relative of the species currently alive today. During this time period, the musk ox was still not adapted to periglacial environments, preferring pastures in close proximity to wooded areas. Further, hippos swam in the Arlanzón River and its tributaries, where beavers built their dams.

In addition to beavers, two other large sized rodents worth mentioning have been recovered from the oldest levels in the Gran Dolina: the porcupine (Hystrix refossa) and the marmot. The living species of porcupine which are most similar to the form found at Gran Dolina inhabit warm climates in Africa and Asia, although this was a common taxon during the European Pleistocene as well, particularly during milder times. The marmot, on the other hand, lives in the cold climates of the

La fauna

Como hemos visto, si nos paseáramos por la Sierra de Atapuerca en el Pleistoceno, su paisaje no nos resultaría extraño. Cualquier persona que haya viajado actualmente por la Península Ibérica reconocería esa vegetación y recordaría haber visto paisajes similares. Sin embargo, no podríamos decir lo mismo de los animales con los que nos encontraríamos. Leones, jaguares, tigres de dientes de sable, o hienas, competirían con los homínidos para dar caza o carroñear los restos de rinocerontes, bisontes, ciervos gigantes, elefantes, o incluso hipopótamos. Al igual que el paisaje cambió a lo largo del tiempo, también variaron los animales, los mamíferos en particular, que habitaban la Sierra de Atapuerca y su entorno inmediato, pero no de forma cíclica. Esto supone una clara diferencia respecto a lo que ocurre en el resto de Europa, donde puede hablarse de una "fauna glaciar" y una "fauna interglaciar" compuesta por especies diferentes y que se suceden paralelamente a los cambios en el clima y la vegetación. Durante los periodos glaciares las especies que no podían sobrevivir en las frías estepas centroeuropeas, como gamos, hipopótamos o jabalíes, desaparecían de esas regiones y aparecían especies adaptadas a condiciones frías, que en los interglaciares viven muy al norte, como zorros árticos, renos, rinocerontes lanudos y mamuts. En Atapuerca sólo podemos hablar de dos conjuntos faunísticos que se suceden en el tiempo, pero que no representan la adaptación a dos climas extremos, si no una variación en las especies presentes debido a cambios evolutivos y migraciones.

El fósil guía que marca esta división es una rata de agua que se extinguió hace poco más de medio millón de años, Mimomys savini, que fue sustituida por una especie (Arvicola cantianus) ya muy próxima a las ratas de agua actuales. Por lo tanto, todos los fósiles que aparecen junto a la primera especie son anteriores al medio millón de años y los que aparecen asociados a la segunda, posteriores.

Los tres yacimientos en los que se ha trabajado más hasta la fecha son Gran Dolina, Galería y Sima de los Huesos. Sabemos que hay fósiles más antiguos y más modernos en otras cuevas de la Sierra que se están prospectando en la actualidad, y con las que se espera ampliar el registro: la Sima del Elefante tiene los niveles más antiguos, y las del Mirador y Cueva Mayor en su Portalón de entrada, los niveles más modernos. En la Gran Dolina se encuentra Mimomys savini desde el tercer nivel hasta la parte inferior del octavo, lo que supone unos ocho metros y medio de espesor de sedimento que abarca un lapso temporal que va desde hace casi un millón de años hasta hace algo más de medio millón de años (los dos primeros niveles son estériles).

La fauna de grandes mamíferos que habitaba en la época antigua la Sierra de Atapuerca era muy variada y espectacular a nuestros ojos. En cuanto a los herbívoros, había entonces grandes rinocerontes de dos cuernos de la especie Stephanorhinus etruscus, jabalíes, caballos, bisontes de largas patas, ciervos y gamos. También había megaceros primitivos y mamuts. En TD7 aparecieron las patas traseras de un buey almizclero, pariente de la especie actual; en esta época los almizcleros todavía no se habían adaptado a los ambientes periglaciares, y habitaban en zonas de pastos próximos a bosques. Además habría hipopótamos nadando en el río Arlanzón y sus afluentes, allí donde los castores hacían sus diques.

Además del castor, entre los roedores recuperados en los niveles más antiguos de la Gran Dolina hay otras dos especies de gran tamaño que

The second and third (hoof) phalanges of a horse.
Segunda y tercera falange (casco) de caballo.

Cranium of a spotted hyena (Crocuta crocuta)
Cráneo de hiena manchada (*Crocuta crocuta*)

alpine fields above the tree line and hibernates in its underground burrows. It is possible they inhabited the Sierra during colder times, between 600,000 and 900,000 years ago.

Let's take a look now at the hunters in these ancient ecosystems. Leaving aside for the moment the role of hominids, the largest predator was the saber-tooth cat, Homotherium latidens. This large felid was about the size of a lion and had enormous curved upper canines with serrated edges. Although it disappeared from Western Europe a little less than 500,000 years ago, its cousin species Homotherium serum survived in America until the end of the Ice Age. These powerful animals were capable of killing prey much larger than themselves, including young mammoths.

Another large felid found in the oldest levels in the Sierra de Atapuerca is the European jaguar, Panthera gombaszoegensis, which went extinct some 400,000 years ago. It was smaller than the sabre-tooth cat, but larger than a leopard, meaning it was about the size of the modern American jaguar. A somewhat smaller felid, the lynx, was also present in the lower levels. The lion probably appeared in Europe around 600,000 years ago, and the sabre-tooth cat disappeared shortly thereafter, most likely due to this new competition for the place of top predator in the ecosystem. It seems then, that there were felids of varying sizes in the Atapuerca ecosystem, ranging from the large sabre-tooth cat to the small wildcat.

Among the canids, remains of two species have been recovered: Vulpes praeglacialis, an ancestor of the arctic fox which was not yet adapted to periglacial environments, and Canis mosbachensis, a small wolf, not much larger than the living jackal. This wolf increased in size, becoming the modern species of wolf, some 300,000 years ago.

The lower levels of Gran Dolina have also yielded the oldest remains of the spotted hyena (Crocuta crocuta) in Europe, a social carnivore and powerful competitor of hominids in both hunting and scavenging carrion. With their specialized dentition, spotted hyenas were capable of breaking

merecen que nos detengamos un momento en ellas. Empezaremos por el puerco espín (*Hystrix refossa*). Las especies actuales más próximas a él habitan en climas cálidos en África y Asia, aunque fue un taxón frecuente en el Pleistoceno europeo, sobre todo en lugares y momentos cálidos. El tercer gran roedor de Atapuerca es la marmota, que por el contrario vive en ambientes fríos, en los prados alpinos por encima del piso forestal, e hibernan en sus madrigueras. Es posible que vivieran en la Sierra cuando atravesaba un momento más frío, entre hace 600.000 y 900.000 años.

Veamos ahora quiénes eran los cazadores en aquellos antiguos ecosistemas. Dejando, por el momento, aparte la discusión del lugar de los homínidos en las redes tróficas, el depredador máximo era un gran félido de dientes de sable, el *Homotherium latidens*. Este gran gato tenía un tamaño comparable al del león y unos enormes caninos superiores (los colmillos), curvados y con los dos bordes finamente aserrados. Aunque desapareció de las regiones más occidentales de Europa hace poco menos de medio millón de años, sus primos de la especie *Homotherium serum* sobrevivieron en América hasta el final de la Edad del Hielo. Estos poderosos animales podrían dar muerte a presas mucho mayores que ellos, incluso mamuts jóvenes.

Otro gran félido de la época más antigua de la Sierra de Atapuerca era el jaguar europeo, la *Panthera gombaszoegensis*, que se extinguió hace unos 400.000 años. Su talla era inferior a la del homoterio, pero superior a la de un leopardo (es decir, como la de un jaguar americano moderno). Un felino aún más pequeño, cuyos restos también se encuentran en los niveles inferiores de la Gran Dolina, es el lince. Los leones debieron aparecer en Europa por primera vez hace unos 600.000 años, y poco después desaparecieron los homoterios del continente (parece probable que ambos compitieran por el puesto de depredador máximo de los ecosistemas). Parece pues que había felinos de todas las tallas en los ecosistemas de la Sierra de Atapuerca (probablemente tampoco faltaban los gatos monteses). El homoterio representaba la más grande de todas.

A deer antler
Asta de ciervo

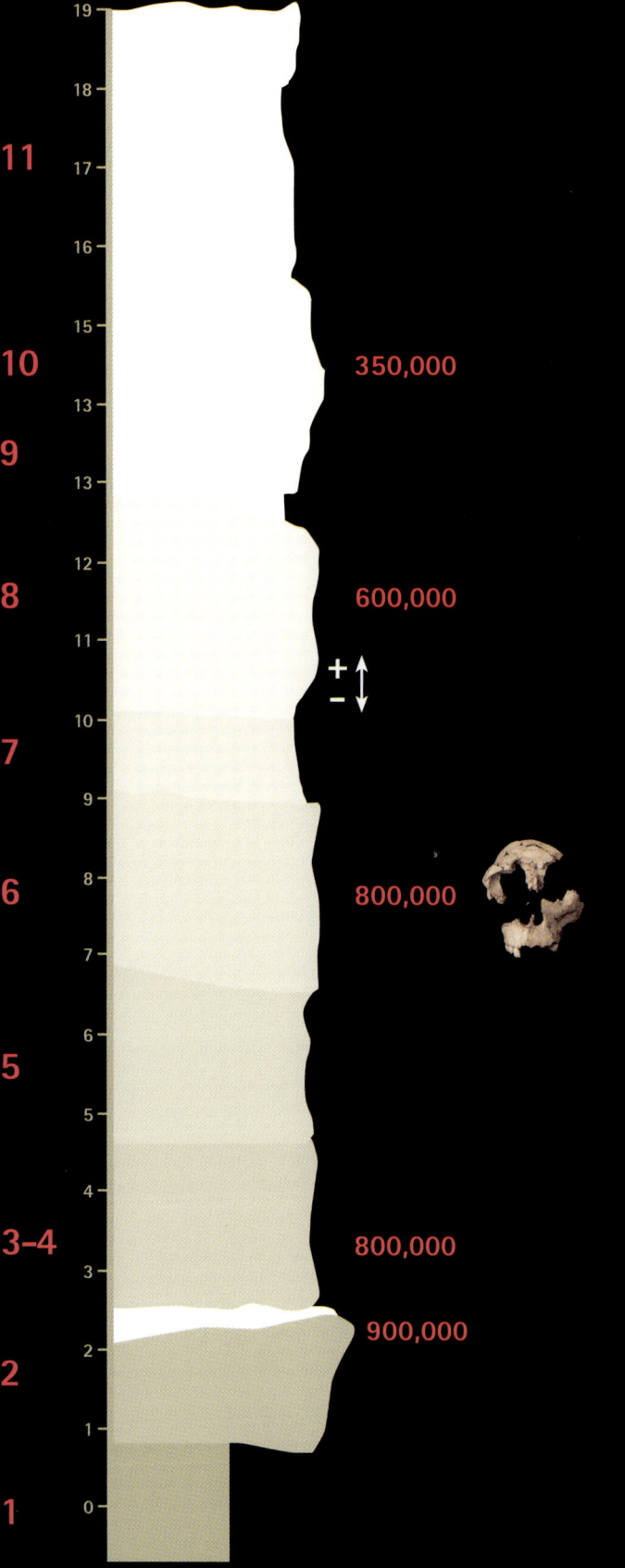

11

10

9

8

7

6

5

3-4

2

1

19

18

17

16

15

13

13

12

11

10

9

8

7

6

5

4

3

2

1

0

350,000

600,000

$+$
$-$

800,000

800,000

900,000

◄ *Strata from the Gran Dolina (TD)*

TD estratos

Stratigraphy of the Gran Dolina

The upper part of level TD7 from the Gran Dolina documents a change in the magnetic polarity dated to 780,000 years ago, beneath which, in level TD6, remains of Homo antecessor were found. The photo to the right shows the excavation of the test pit in this level in 1994, the year of its discovery.

Estratigrafía Gran Dolina

En la parte superior del nivel TD-7 de la Gran Dolina se produce el cambio de polaridad magnética datado en 780.000 años, por debajo del cual, en el nivel TD-6, se encuentran los restos humanos de Homo antecessor. En la foto de la derecha podemos ver la excavación en este nivel del sondeo en 1994, año del descubrimiento.

the long bones of large herbivores to access the bone marrow inside which is rich in nutrients and fat, and is a prized resource.

Numerous cave bear remains have also been found in the lower levels of Gran Dolina, and, based on these fossils, a new species has been identified, *Ursus dolinensis*. This primitive species represents the ancestor of the cave bear and is also evolutionarily very close to the precursor of the brown bear.

The deposits which are younger than 500,000 years ago also contain a large number of fossils. At the site of Galería, remains of the cuon, the same species as the modern-day Asiatic wild dog, or dhole, have been recovered. Among the large rodents, marmots and porcupines (*Hystrix vinogradovi*) continue to be present, as do horses, deer, giant deer, bison and rhinoceroses among the herbivores. Finally, elephant remains have been found at Gran Dolina, a milk tooth from an undetermined species, and at the Sima del Elefante, for which the site is named. Due to the scarcity of the bison remains, it is difficult to identify the species represented at Atapuerca. It could be either *Bison schoetensacki*, the so-called forest buffalo, or *Bison priscus*, the larger steppe buffalo. Some of the bovine remains could represent the auroch (*Bos primigenius*), or even the water buffalo, which today is found only in Asia but inhabited Europe as well in the past. Unfortunately, it is difficult to distinguish between these different species based on isolated bones of the skeleton. During this time there were also rhinoceroses belonging to the species *Stephanorhinus hemitoechus*. This rhino grazed the steppes of Europe over a long time period, together with another larger species, Merck's rhinoceros (*Stephanorhinus kirchbergensis*). This latter species was truly impressive, measuring up to 2.5 meters tall, much taller than any living species. Both rhino species were adapted to milder climates and disappeared from Central Europe at the beginning of the last glaciation, during the time of the Neandertals.

The carnivore assemblage from the Sima de los Huesos is comprised of many species and families. By far the most abundant, however, is the ancestor of the cave bear, *Ursus deningeri*. Wolves and foxes are also present, as are lynxes, evolutionarily related to the present-day Iberian lynx, and wildcats. Remains of lions have also been found, as well as an enigmatic felid species represented by a fragment of metatarsal (foot bone) which, judging by its size, could correspond to either a leopard or a European jaguar. Thus, there are four different sized felids in the Sima de los Huesos. Much smaller carnivores, the mustelids, are represented at the site by four different species: two larger forms, similar to the sable or marten and the badger, a smaller form, similar to the weasel or the stoat, and a medium-sized form, the polecat.

The absence of hyena remains in the Sima de los Huesos, Galería and in what has been excavated to date in the upper levels of Gran Dolina is surprising. One hypothesis to explain this absence is that the hominids competed with them, driving them out of the Sierra, or at least reducing their presence. Their earlier presence in the lower levels of Dolina could

Entre los cánidos, se han encontrado restos de dos especies: *Vulpes praeglacialis*, un antepasado del zorro ártico que todavía no estaba adaptado a los ambientes periglaciares, y *Canis mosbachensis*, un lobo de pequeño tamaño, no mucho mayor que el chacal moderno. Este lobo se hizo grande, convirtiéndose en la especie actual de lobo, hará unos 300.000 años.

Los niveles inferiores de la Gran Dolina han proporcionado los restos más antiguos de Europa de hiena manchada (*Crocuta crocuta*), un carnívoro social y poderoso competidor de los humanos, tanto en la caza como en el aprovechamiento de las carroñas. Con unas piezas dentales especializadas, las hienas manchadas podían acceder al tuétano de los huesos de los grandes herbívoros.

Se han encontrado también en estos niveles bajos de la Gran Dolina numerosos restos de oso, pertenecientes a una especie nueva creada a partir de estos fósiles. Se trata de *Ursus dolinensis*. Este primitivo úrsido representa al ancestro del oso de las cavernas y se sitúa muy próximo al antepasado del oso pardo.

Los depósitos posteriores al medio millón de años también contienen gran número de fósiles. Entre los herbívoros sigue habiendo caballos, gamos, ciervos, megaceros, bisontes y rinocerontes. Por la escasez de material hay problemas para asignar los fósiles de bisonte a una especie determinada: podrían ser *Bison schoetensacki*, el llamado bisonte de bosque, o *Bison priscus*, el bisonte de estepa, de mayor tamaño. Algunos de los restos de bovinos encontrados podrían pertenecer al uro (*Bos primigenius*), e incluso al búfalo acuático, hoy en día sólo asiático pero que llegó a habitar Europa. Es difícil distinguir entre las diferentes especies de bovinos a partir de huesos sueltos del esqueleto.

En esta época había rinocerontes de la especie *Stephanorhinus hemitoechus*. Se trataba de un rinoceronte que pastaba en las estepas, y se encuentra en Europa durante mucho tiempo junto con una especie de rinoceronte de mayor tamaño, el rinoceronte de Merck (*Stephanorhinus kirchbergensis*). Este último era realmente impresionante, con una altura de hasta 2'5 m que no alcanzan ninguna de las especies actuales. Ambos rinocerontes estaban adaptados a los climas templados y desaparecieron del centro de Europa al comenzar la última glaciación, es decir, en el tiempo de los neandertales. En los yacimientos de Atapuerca sólo se han encontrado hasta la fecha restos de elefante en la Gran Dolina (uno indeterminado) y en la Sima del Elefante (que recibe por eso tal nombre).

Entre los roedores de gran tamaño, se siguen encontrando marmotas y puercoespines (aunque de otra especie: *Hystrix vinogradovi*).

La asociación de carnívoros de la Sima de los Huesos incluye numerosas especies. La mejor representada es un antepasado del oso de las cavernas (*Ursus deningeri*). Hay también lobos y zorros, así como linces de la línea evolutiva del lince ibérico y gatos monteses. Se encuentran también leones y un enigmático resto de felino, un fragmento de metatarsiano (hueso del pie) que por su tamaño podría corresponder

The Pleistocene is the period of the Earth's history from 1,800,000 to 10,000 years ago. It is mainly characterized by a series of cyclical climatic changes which affected the entire planet, although the effects were much more severe in the more northern latitudes.

These cycles correspond to the alternating of two climatic stages: glacial periods and interglacial periods. During the interglacial periods, the climate was very similar to the present day. However, during the glacial periods, the average temperature of the planet was lowered several degrees and the polar ice caps expanded significantly, particularly in the northern hemisphere, producing important drops in the sea level and affecting the rainfall distribution. In North America, for example, ice sheets covered the entire north of the continent reaching just south of the Great Lakes, and the desert Southwest was significantly more humid than present day.

In Europe, the glacial cycles left a profound mark on the continent. During a glacial cycle, Great Britain, Scandinavia, the Netherlands and northern Germany were covered year-round by ice sheets. In these arctic desert zones, life was almost impossible. To the south, in Central Europe, the ice disappeared during the spring and summer months, but the cold was so intense and the climate so dry that trees could not survive, leaving the landscape covered by immense steppes. Still further south, on the Iberian, Italian and Balkan peninsulas, the climate was milder, although different from today. Here there were areas where forests could still survive and took refuge from the cold, and the southern mountain slopes, canyons and ravines protected them from the strong, icy winds. In more open areas, the most resistant trees, like species of pine and cypress, could form open woods mixed with steppe-like vegetation.

El Pleistoceno es el periodo de la historia de la Tierra que va desde hace 1.600.000 años hasta hace unos 10.000 años y se caracteriza fundamentalmente por que en él ocurrieron una serie de cambios climáticos cíclicos que afectaron a todo el planeta, aunque sus efectos fueron mucho más drásticos cuanto más al norte nos encontramos.

Estos ciclos responden a la alternancia de dos tipos de etapas climáticas: las glaciares y las interglaciares. En los periodos interglaciares el clima era muy similar al que tenemos actualmente, pero en los periodos glaciares la temperatura media del planeta descendía varios grados, de tal manera que los casquetes polares incrementaban mucho su extensión, especialmente en el hemisferio norte, y como consecuencia el nivel del mar bajaba, e incluso la distribución de las lluvias se veía afectada. Por ejemplo, en Norteamérica el hielo cubría todo el norte hasta llegar a sobrepasar los Grandes Lagos y los desiertos del sudoeste eran bastante más húmedos que en la actualidad.

En Europa los ciclos glaciares dejaron una profunda huella. Cuando comenzaba un periodo glaciar los hielos cubrían durante todo el año buena parte de Gran Bretaña y Escandinavia y también lo que hoy son los Países Bajos y el norte de Alemania. En esas zonas de desierto polar la vida era casi imposible. Más al sur, en Centroeuropa, el hielo desaparecía durante la primavera y el verano, pero el frío eran tan intenso y el clima tan árido que los árboles no podían sobrevivir, y el paisaje quedaba cubierto por inmensas estepas. Aún más al sur, en las penínsulas Ibérica, Itálica y Balcánica el clima era más suave, aunque también diferente del actual. Allí había zonas donde los bosques podían refugiarse del frío, como laderas orientadas al sur, cañones o barrancos, que los protegían de los fuertes y helados vientos. Incluso en zonas más abiertas los árboles más resistentes como los pinos, cipreses, o sabinas podían formar bosquetes o bosques abiertos, auqnue mezclados con vegetación de tipo estepario.

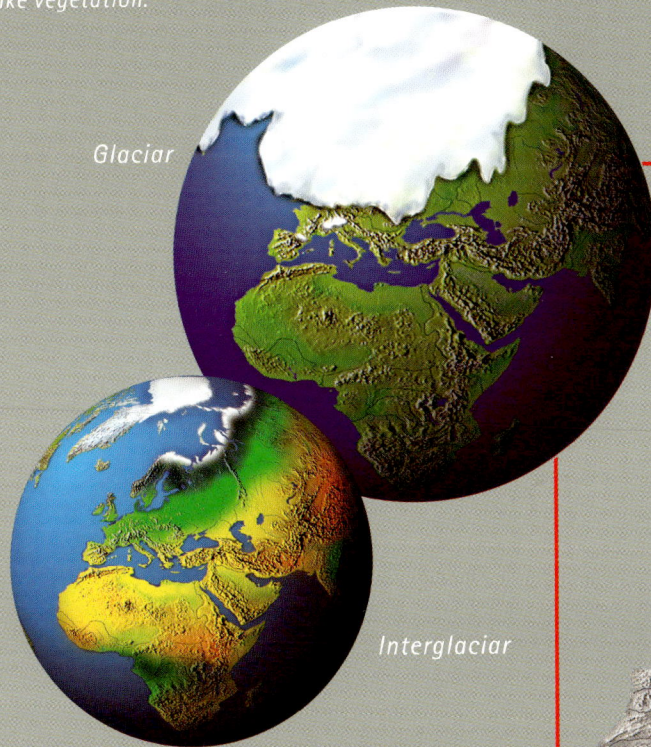

Glaciar

Interglaciar

▲ Limits of the polar icecaps during glacial periods.
Límites de los casquetes polares durante las glaciaciones.

Maximum exent of ice   *Last glaciation*
Máxima extensión del hielo   Última glaciación

Bison
Herds of bison must have been common in the areas surrounding the Sierra de Atapuerca 300,000 years ago.

Bisontes
Las manadas de bisontes debían ser frecuentes en los alrededores de la Sierra de Atapuerca hace 300.000 años.

be attributed to several possible factors including a scarce human presence in the Sierra, poor social organization or short-term occupation of the Sierra on the part of hominids. Nevertheless, hyenas were abundant on the Iberian Peninsula in more recent Pleistocene times. It is possible that as hominids became more active hunters rather than scavengers, the ecological niche for which they had been competing was taken over again by hyenas.

The case of birds is quite different from that of the mammals just described. In the first place because the species which lived during Pleistocene times were practically the same as those found in Europe today. Thus, we can't speak of evolutionary changes or extinctions, as with the mammals. In TD6, species which prefer open habitats, those which can be found today in high plateaus or grain-producing steppes on the Iberian Peninsula, are abundant, including various species of larks. However, other species also occur, such as the horned lark (Eremophila alpestris), which currently inhabits Finland and the Caucasus. Together with these species, others appear which are clearly associated with water, including the teal (Anas crecca) or the black-tailed godwit (Limosa limosa), which indicate the existence of nearby lakes or marshes. Both ducks and other species typical of wetlands are abundant in unit GIII in Galería. From this same unit, we have also found remains of mallards (Anas plathyrhyncos), teal (Anas querquedula), widgeons (Anas penelope), Baillon's crakes (Porzana pusilla), great snipes (Gallinago media), common snipes (Gallinago gallinago) and terns (Sterna albifrons), among others. This abundance of birds related with rivers and lakes indicates the existence, some 300,000 years ago, of important wetlands in the region, although we also find birds typical of steppe environments in unit GIII, such as the great bustard (Otis tarda).

It's evident from the list of fossil species that there was a great faunal and floral diversity in the Sierra de Atapuerca during the Pleistocene and that, as mentioned previously, the alternating climatic cycles didn't drastically change the faunal composition of the region. This latter observation is not surprising in and of itself, since mammals in general, and large mammals in particular, are very plastic species that can adapt well to climatic changes of the magnitude that occurred in the Sierra throughout the Pleistocene.

The best explanation for this enormous diversity is the existence of a large number of diverse habitats in the Sierra and the surrounding region. These include ample plains, waterways, limestone bluffs and the nearby mountain tops, which would explain the coexistence in the fossil record of species typical of a forest habitat, such as deer and wild boar with others more adapted to open spaces such as giant deer and horses.

a un leopardo o a un jaguar europeo. Es decir, hay felinos de cuatro tallas diferentes en la Sima. Unos pequeños carnívoros casi siempre olvidados son los mustélidos, que están representados en este yacimiento por cuatro especies: dos grandes, del tipo marta o garduña y tejón, otra pequeña, como la comadreja o el armiño y una mediana, el turón. En el yacimiento de la Galería se han encontrado además restos de cuón. Sorprende la ausencia de hienas en la Sima de los Huesos, en la Galería y en lo que se lleva excavado hasta la fecha de los niveles superiores de la gran Dolina. Se baraja la idea de que quizás los humanos compitieran con ellas y las ahuyentaran de la Sierra de Atapuerca, o al menos que su presencia fuera muy reducida. Tal vez antes no pudieran con las hienas, y por eso se encuentran en los niveles más viejos de la Gran Dolina, posiblemente porque los humanos eran entonces escasos, peor organizados o permanecían poco tiempo en la comarca. Sin embargo, las hienas son abundantes en la Península Ibérica en épocas posteriores a las de los yacimientos mencionados. Como hipótesis, podría pensarse que los humanos pasaron a ser más cazadores y menos carroñeros, con lo que el nicho ecológico por el que competían humanos y hienas (más carroñeras y menos cazadoras) quedó para estas últimas.

El caso de las aves es significativamente diferente al de los mamíferos. En primer lugar porque las especies que vivían en el Pleistoceno eran prácticamente las mismas que podemos encontrar en Europa hoy en día, y no se puede hablar por tanto de cambios evolutivos o extinciones, como ocurre con los mamíferos. En TD6 abundan las especies propias de espacios abiertos, las que hoy encontramos en páramos o en las estepas cerealísticas de la península Ibérica, como la alondra (Alauda arvensis), la cogujada (Galerida cristata), o la calandria (Melanocorypha calandra). También aparecen especies que hoy no podemos encontrar en la Península Ibérica como la alondra cornuda (Eremophila alpestris), que habita en Finlandia y el Cáucaso. Junto a estas especies aparecen otras firmemente ligadas a aguas continentales, como la cerceta (Anas crecca) o la aguja colinegra (Limosa limosa) que evidencian la existencia en el entorno de lagunas o zonas palustres. Precisamente las anátidas y las limícolas son muy abundantes en la unidad GIII de Galería, donde encontramos ánade real (Anas plathyrhyncos), cerceta carretona (Anas querquedula), ánade silbón (Anas penelope), polluela pintoja (Porzana pusilla), agachadiza real (Gallinago media), agachadiza común (Gallinago gallinago) y charrancito (Sterna albifrons), entre otros. Esta abundancia de aves ligadas a ríos y lagunas nos indican la existencia hace unos 350.000 años de importantes humedales en el entorno, si bien también encontramos en GIII aves tan típicamente esteparias como la avutarda (Otis tarda). De la lista de especies fósiles puede deducirse, por una parte que hubo una extraordinaria diversidad animal y vegetal en la Sierra de Atapuerca en todo el Pleistoceno, y por otra que la alternancia de ciclos climáticos, como ya se apuntaba al principio, no alteró mucho la composición faunística de este entorno. Este último hecho tampoco es demasiado extraño en sí mismo ya que, en general, los mamíferos, y en particular los grandes mamíferos, son especies muy plásticas que pueden adaptarse bien a cambios de la magnitud de los que ocurrieron en la Sierra a lo largo del Pleistoceno.

La mejor explicación para la enorme riqueza de especies y la relación entre ellas sería, probablemente, la coexistencia de una gran variedad de hábitats que ofrecerían la Sierra y sus alrededores: las comunidades de la amplias llanuras, las de los cursos de agua, las de las peñas calizas y, muy cerca, las de las altas cumbres ibéricas. Esto conciliaría la coexistencia en el registro fósil de especies típicas de hábitat de bosque, como los ciervos, jabalíes y gamos con otras de espacios abiertos como los megaceros y los caballos.

A bear canine (Ursus deningeri) from the Sima de los Huesos.

Canino de oso (Ursus deningeri) de la Sima de los Huesos.

Maxilla and part of the cranium of a specimen of Ursus dolinensis.
Maxilar y parte del cráneo de un ejemplar de *Ursus dolinensis.*

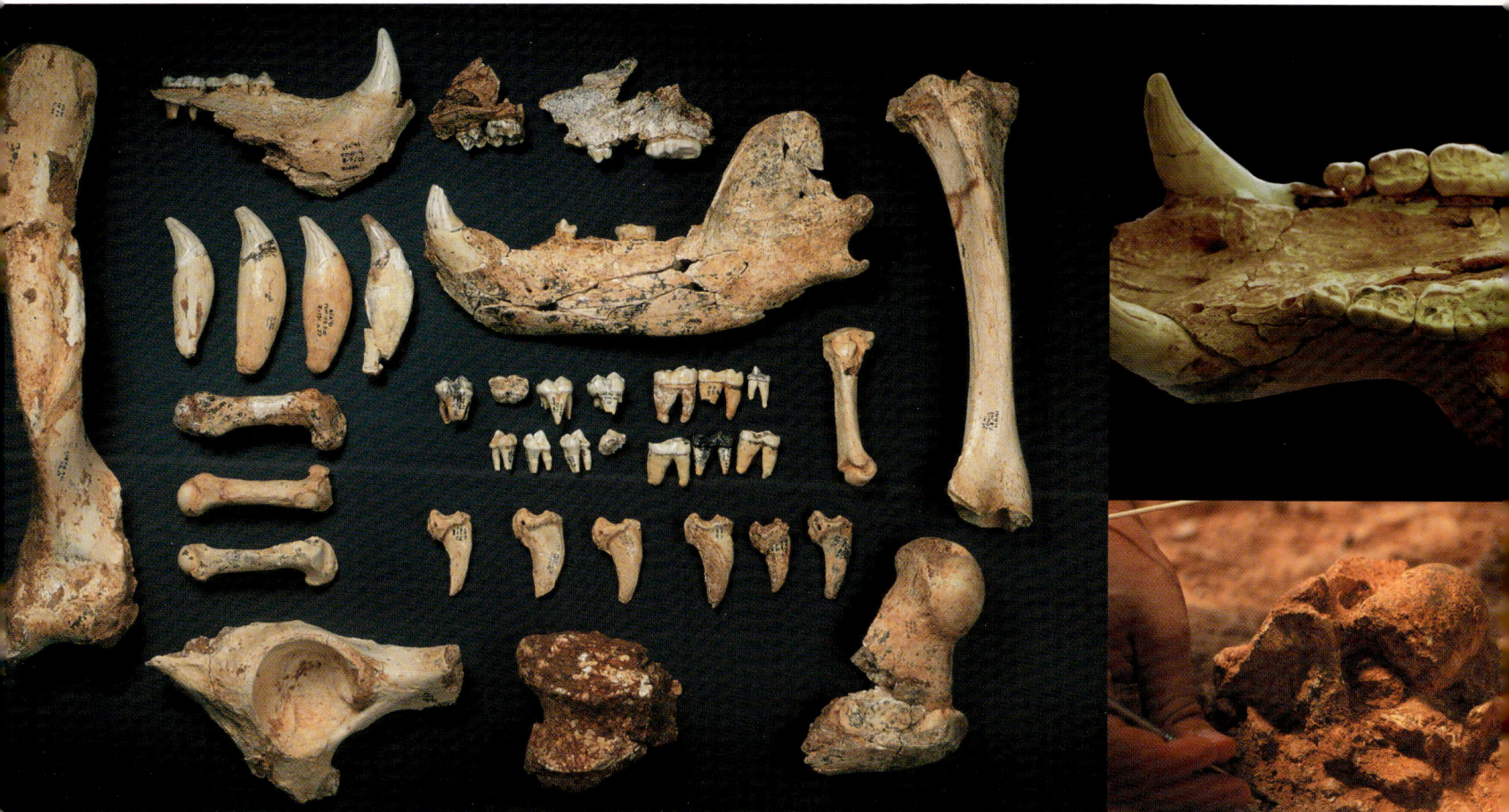

The bear remains found in level TD4 from Gran Dolina, dating to between 780,000-900,000 years ago, have been described as a new species named Ursus dolinensis.

Los restos de oso encontrados en el nivel TD4 de la Gran Dolina con una antigüedad de entre 780.000-900.000 años han dado lugar a la descripción de una nueva especie denominada *Ursus dolinensis.*

AT3 *Pleistocene humans*
of the Sierra de Atapuerca

Humanidades pleistocenas
de la Sierra de Atapuerca

Hidden in the sediments of the Gran Dolina lay the remains of the first human beings who colonized the European continent. It will be years before this impressive site reveals all its secrets. Currently level TD10 is being excavated in extension.

Escondidos entre los sedimentos de la Gran Dolina yacían los restos que iban a permitir conocer a los primeros seres humanos que poblaron el continente europeo. Pasarán años hasta que este impresionante yacimiento desvele todos sus secretos. Actualmente se excava en extensión el nivel TD-10 de la Gran Dolina.

Maxilla of a 10-12 year old individual of
Homo antecessor.
*Maxilar de un individuo de 10-12 años de
Homo antecessor.*

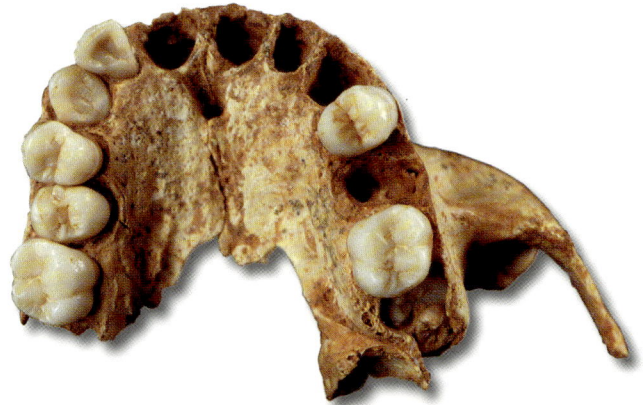

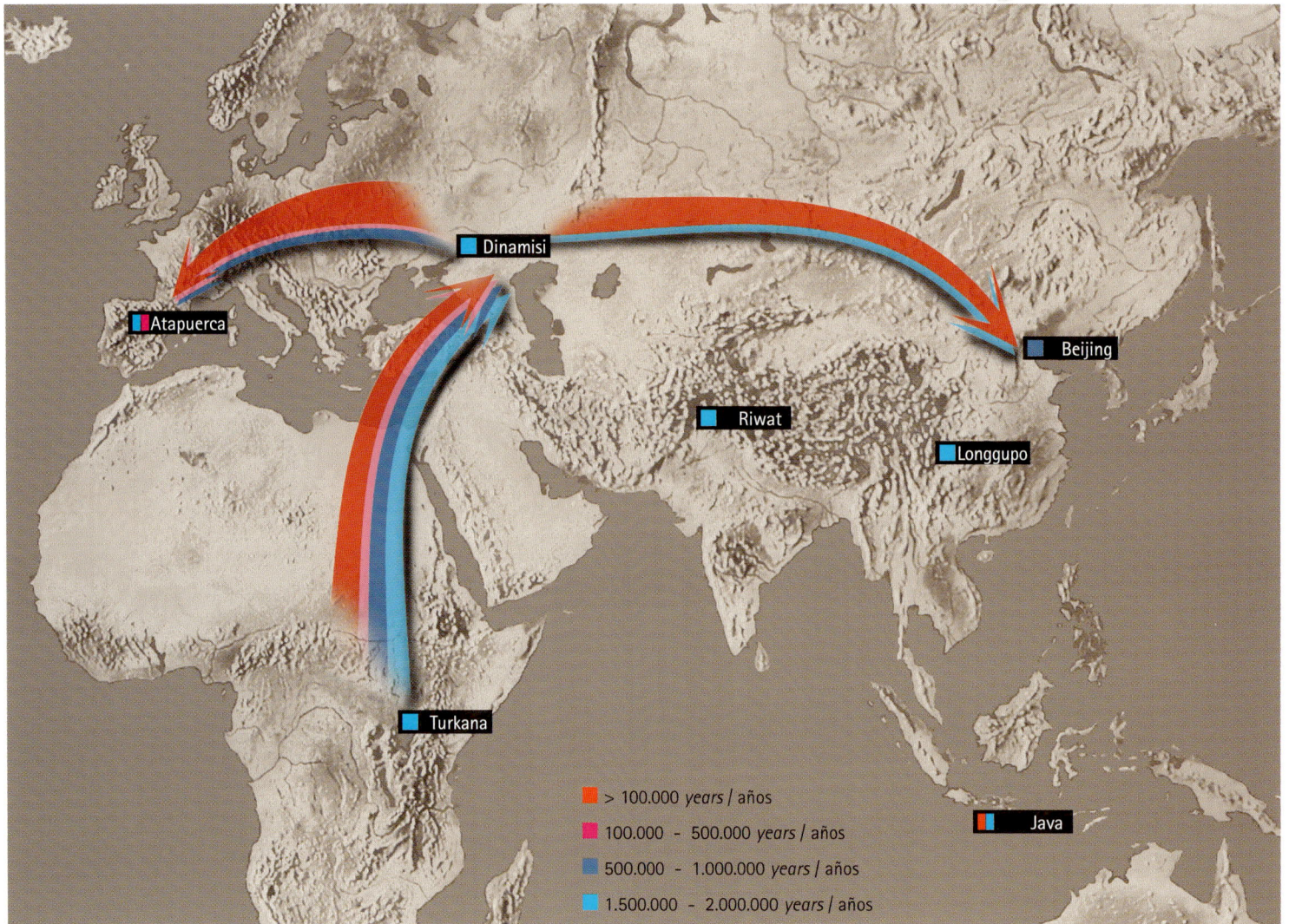

Dinamisi

Atapuerca

Beijing

Riwat

Longgupo

Turkana

> 100.000 *years / años*

100.000 - 500.000 *years / años*

500.000 - 1.000.000 *years / años*

1.500.000 - 2.000.000 *years / años*

Java

The history of migrations out of Africa is more complex than was believed.
La historia de las migraciones desde Africa es más compleja de lo que se pensaba.

The TD-6 Hominids: Homo antecessor

Los humanos de TD-6 : Homo antecessor

The first Europeans

The origin and antiquity of the first Europeans has inspired an enormous interest in both the scientific community and the general society since the first Neandertal fossils discovered in the 19th Century (from such sites as Engis in Belgium, Forbes Quarry in Gibraltar and the Feldhofer Cave in the Neander Valley in Germany) were correctly interpreted as "primitive humans" from remote populations of humanity. Decades later, we know that the evolutionary history of human populations in Europe has been extraordinarily complex and goes back perhaps more than a million years. Who were these ancestors who first inhabited the European continent? At what point did hominids enter the territory we now know as Europe? How are these original pioneers related to current European populations? Why did hominids expand their territory and move out of Africa to occupy new environments? Each new discovery at sites in Europe, Africa and Asia, as well as advances in other disciplines related to the study of human origins, have allowed scientists to answer these questions in their attempt to reconstruct the geographic and temporal patterns of human evolution in Europe. Where are we in these studies today? What have the discoveries and the results produced by the research team during 25 years of excavations at the sites in the Sierra de Atapuerca contributed to these questions? At the beginning of the 1990's a large majority of prehistorians defended the idea that the first colonization of Europe had occurred around 500,000 years ago. The well-known Mauer mandible, which was discovered in 1907 near Heidelberg in Germany, was the first representative of the newly created species dubbed Homo heidelbergensis, and for 90 years, was considered the oldest human fossil in Europe. To this, were added later discoveries from sites in Germany (Steinheim, Bilzingsleben), France (Montmaurin, Arago), Greece (Petralona), the U.K. (Boxgrove, Swanscombe, Pontnewydd) and Spain (Sima de los Huesos in Atapuerca), among others. As we will see later, the study of the fossil remains from this last site has had an enormous impact on the interpretation of the peopling of Europe during the Middle Pleistocene, some 780,000-120,000 years ago.

This complex of European sites, and many others which haven't yielded human fossils but do preserve clear evidence of different daily activities (e.g. knapping of stone tools, defleshing of animals, curing of animal skins, etc.) offer a vision of Europe inhabited by a relatively homogeneous population of hunters and gatherers, which are collectively classified within the species Homo heidelbergensis. Based on the sites of Notarchirico (Italy) and Carrière Carpentier (France), members of this species occupied Europe beginning some 600,000 years ago using a stone tool technology known as Mode 2, or Acheulean, and eventually controlled fire. But were these populations of Homo heidelbergensis the first people to occupy Europe?

Since the 1980's, the idea that the first inhabitants of Europe could have arrived around one million years ago was being increasingly advocated by part of the scientific community. The supposed evidence came from sites such as Isernia la Pineta, Monte Poggiolo and Notarchirico (all in Italy), Kärlich (Germany), Korolevo (Ukraine) and the lower levels at Gran Dolina in the Sierra de Atapuerca, which all preserved evidence of more primitive stone tools, known as Mode 1, or Oldowan. Ages for these sites derived from direct dating methods, such as potassium-argon (K/Ar) or thermoluminescence (TL) (see Special focus 1 for a

Los primeros europeos

El origen y la antigüedad de la población primigenia de Europa han suscitado un enorme interés en la comunidad científica y en la sociedad en general desde que los primeros fósiles de Neandertales hallados en el siglo XIX (Engis, Bélgica; Cantera Forbes de Gibraltar; Cueva Feldhofer del valle de Neander, Alemania...) fueron correctamente interpretados como restos de "seres primitivos" de poblaciones muy remotas. Decenas de años más tarde, sabemos que la historia evolutiva de las poblaciones humanas de Europa ha sido extraordinariamente compleja y se remonta tal vez más allá de la barrera del millón de años. ¿Quiénes fueron aquellos ancestros que por primera vez habitaron el continente europeo?, ¿En qué momento se produjo la entrada de homínidos en los territorios que hoy denominamos Europa?, ¿Qué relación de parentesco existe entre aquellos pioneros y las poblaciones europeas actuales?, ¿Qué razones impulsaron a los homínidos a expandir sus hábitats fuera de África y ocupar nuevos ecosistemas?

Cada nuevo hallazgo en yacimientos no sólo de Europa, sino también de África y Asia, así como el progreso en todas las disciplinas implicadas en el estudio de nuestros orígenes han permitido a los científicos responder a estos interrogantes, en su intento de aproximarse a la verdadera reconstrucción del amplio escenario geográfico y temporal de la evolución de los homínidos en Europa. ¿En qué punto nos encontramos? ¿Qué han aportado a la evolución de estas cuestiones los hallazgos realizados en la Sierra de Atapuerca y las investigaciones del equipo que desde hace 25 años excava estos yacimientos?

A principios de los años noventa del siglo XX una gran mayoría de prehistoriadores defendían que la primera invasión de Europa habría sucedido hace en torno al medio millón de años. La conocida mandíbula de Mauer (1907, Heidelberg, Alemania), que dio origen a la denominación de la especie Homo heidelbergensis, fue considerada durante cerca de noventa años como el resto fósil más antiguo de Europa. A esta mandíbula se unieron en años sucesivos otros hallazgos en yacimientos de Alemania (Steinheim, Bilzingsleben), Francia (Montmaurin, Tautavel), Grecia (Petralona), Reino Unido (Boxgrove, Swascombe, Pontnewydd) y España (Sima de los Huesos de Atapuerca), entre otros. Como luego veremos, el estudio de los restos fósiles de este último yacimiento ha tenido una enorme relevancia en la interpretación del poblamiento europeo durante el Pleistoceno medio (780.000-120.000 años).

Este conjunto de yacimientos europeos y otros muchos que no han proporcionado restos fósiles humanos, pero sí evidencias muy claras de diferentes actividades de la vida cotidiana (fabricación de útiles de piedra y madera, descarnado de animales para el consumo, curtido del cuero...) ofrecen la visión de una Europa habitada de sur a norte hasta una determinada latitud por una población relativamente homogénea de cazadores-recolectores, que se clasifican dentro de la especie Homo heidelbergensis. Los miembros de esta especie dominaban la tecnología del Modo 2 (Achelense), llegaron a controlar el uso del fuego y ocuparon Europa desde hace unos 600.000 años, según se desprende de las dataciones realizadas en los yacimientos de Notarchirico, en Italia y Carrière Carpentier en Francia, en los que han obtenido conjuntos líticos del Modo 2. Pero, ¿fueron los pobladores de Homo heidelbergensis quienes ocuparon por vez primera las tierras de Europa?

Desde los años ochenta se ha venido reclamando cada vez con mayor insistencia por una parte de la comunidad científica que el primer

discussion of these dating methods), or indirect methods, such as paleomagnetism or biochronology) ranged between 600,000 and one million years ago.

The debate between the defenders and the detractors of a European settlement older than 500,000 years ago centered on the possibility that the stone tools found at these sites were merely naturally fractured rocks, known as geofacts, and did not constitute intentionally manufactured stone tools. Further, most of these Mode 1 tool kits, sometimes associated with fossilized remains of different animal species, were found at sites formed near the banks of lakes and rivers, having been displaced from where they originally accumulated. Thus, they didn't seem to be in a primary context, and the possibility of water transport could be argued to explain some of the fracture patterns. These reasonable doubts in the interpretation and dating of these sites weakened the argument for a Europe occupied in such remote times.

Finally, in 1994, excavations at the site of Gran Dolina in the Sierra settled the debate once and for all. In 1993, the Atapuerca research team began a test pit of some six square meters in the site of Gran Dolina with two goals in mind. In the first place, it was necessary to get a better understanding of the stratigraphy as well as the fossiliferous and archaeological potential of the site. Secondly, reaching the lowest, and hence oldest, levels of the site as quickly as possible could provide new data in the debate on the first Europeans. The defenders of the so-called "short chronology" had reinforced their position with the discovery of a tibia fragment of Homo heidelbergensis associated with a rich Mode 2 stone tool assemblage at the site of Boxgrove, in England. The age of this fossil was similar to that of the Mauer mandible. However, levels TD4-TD6 at Gran Dolina were older than 500,000 years, and stone tools belonging to a Mode 1 technology had already been recovered. In July of 1994, the test pit in Gran Dolina reached level TD6, and a remarkable discovery was made. On the 8th day of the month, several human remains appeared associated with Mode 1 stone tools as well as clearly ancient micromammal and faunal remains. This assemblage appeared together in a level some 25 centimeters thick, which is now known as the Aurora stratum. During three field seasons (1994-1996), these six square meters were meticulously excavated, eventually yielding 85 fragmentary human remains from different parts of the skeleton and representing at least six different individuals. These were associated with 268 stone tools, and more than 4,000 fragmentary fossils of large mammals. A rigorous taphonomic analysis of the Aurora stratum has demonstrated that the site is in primary context and that the archaeological and paleontological remains are anthropic in origin. That is, the actions of human beings were responsible for producing this accumulation of artifacts, probably in what was an ancient occupation site or campground near the entrance of the large cave that was the Gran Dolina at that time.

The analysis of the "fossilized" magnetic properties of the sediments in the different levels of Gran Dolina has revealed that the lower levels (TD2-TD6 and the lower part of TD7) were deposited during the so-called Matuyama epoch, when the Earth's magnetic pole was reversed with respect to the present-day. The Matuyama period covers the time range from 1,770,000-780,000 years ago, with a short period of normal magnetic polarity between 1,070,000-990,000 years ago, called the Jaramillo event. ESR and Uranium series dates for level TD6, as well as the studies of microvertebrates and large mammals from the different levels in Gran Dolina, place the human fossils from the Aurora stratum between 780,000-850,000 years ago. Thus, the presence of hominids in Europe beyond the 500,000-year limit of the "short chronology" was definitively demonstrated. The discovery in 1990 of various quartzite

poblamiento de Europa pudo haber ocurrido hace en torno a un millón de años. Las supuestas evidencias procedían de yacimientos como los de Isernia la Pineta, Monte Poggiolo y los niveles E, G y H de Notarchirico en Italia; los niveles A y Bb de Kärlich en Alemania; los niveles VII y VIII de Korolevo en Ucrania o el nivel TD4 de Gran Dolina en la Sierra de Atapuerca, entre otros, que proporcionaron conjuntos de una industria lítica realizada con una técnica más primitiva (Modo 1). Los resultados de las dataciones por métodos directos (K/Ar, termoluminiscencia) o indirectos (Paleomagnetismo, bioestratigrafía) indicaban fechas entre 600.000 y un millón de años para estos yacimientos. El debate entre los defensores y detractores de un poblamiento de Europa anterior al medio millón de años se centró en la posibilidad de que los utensilios líticos hallados en los yacimientos citados fueran en realidad fragmentos de rocas fracturadas de modo natural (geofactos) y no verdaderos útiles fabricados de manera intencionada. Además, la mayoría de estos conjuntos líticos del Modo 1, asociados en ocasiones a restos fósiles de diferentes especies animales, se encontraban en yacimientos formados cerca de riberas de lagos y ríos y muy desplazados del lugar donde se acumularon en un principio. La interpretación y la datación de estos sitios ofrecía siempre dudas razonables, que no ayudaron precisamente a consolidar la teoría de una Europa ocupada por humanos en época tan remota.

Finalmente, en 1994, las excavaciones en el yacimiento de Gran Dolina en la Sierra de Atapuerca zanjaron el debate de manera definitiva. En 1993, el equipo investigador de Atapuerca inició un sondeo de unos siete metros cuadrados en el yacimiento de Gran Dolina con un doble propósito. En primer lugar, se trataba de obtener el mejor conocimiento posible de la estratigrafía y el potencial fosilífero y arqueológico de Gran Dolina. Por otro lado, se intentaba alcanzar cuanto antes los niveles más profundos y, por tanto, más antiguos de este yacimiento, que permitían ofrecer datos sobre el debate de los primeros europeos. Los defensores de la llamada "cronología corta" habían reforzado su posición con el hallazgo de un fragmento de tibia de Homo heidelbergensis asociada a un rico conjunto de industria lítica del Modo 2 en el yacimiento de Boxgrove, en el Reino Unido. La antigüedad de este resto humano podía ser incluso similar al de la mandíbula de Mauer. Pero los niveles TD4, TD5 y TD6 de Gran Dolina tenían una antigüedad superior a 500.000 años y en ellos se habían obtenido ya algunos utensilios líticos del Modo 1.

En Julio de 1994 el sondeo de Gran Dolina alcanzó el nivel de TD6 y se produjo un hallazgo trascendental. El día 8 de ese mes aparecieron varios restos humanos asociados a utensilios líticos del Modo 1 y a restos de micro y macrovertebrados de una antigüedad bien contrastada. Todo este conjunto aparecía en una capa de unos 25 centímetros de espesor, que desde entonces se conoce como Estrato o Capa Aurora. Fueron necesarios tres meses de trabajo (campañas de campo de 1994, 1995 y 1996) para excavar de manera minuciosa los siete metros cuadrados de la Capa Aurora. Se obtuvieron 85 restos fósiles humanos muy fragmentados de diferentes partes esqueléticas y de un mínimo de seis individuos, 268 utensilios líticos y más de 4000 restos fósiles de diferentes macrovertebrados, también muy fragmentados. Un análisis tafonómico muy riguroso de la Capa Aurora de TD6 ha permitido concluir que el yacimiento está en posición primaria y que el origen de la acumulación de los restos arqueológicos y paleontológicos es antrópico; es decir, los seres humanos fueron responsables de esa acumulación, probablemente en lo que fue un antiguo lugar de ocupación o campamento en las proximidades de la entrada de la gran cueva que era entonces Gran Dolina.

El análisis de las propiedades magnéticas "fosilizadas" en los minerales

stone tools in level TD4, as well as a few flint flakes found in the lower levels of the Sima del Elefante during the last two field seasons at Atapuerca, suggest that the earliest occupation occurred in the Sierra at least a million years ago, during the Lower Pleistocene (1,770,000-780,000 years ago).

In 1991, a surprising discovery was made at the site of Dmanisi, located in the Republic of Georgia, between the Caspian Sea and the Black Sea, not far from the Caucasus and at the gates of Europe. A hominid mandible showing very primitive characteristics was found associated with a rich assemblage of Mode 1 stone tools, microvertebrates and large mammal remains. The age of this mandible was determined by paleomagnetic and biochronological data to be at least 1,750,000 years old. The morphology and dimensions of the Dmanisi mandible indicated similarities to the African species Homo ergaster and Homo habilis. While the first publications on the site generated controversy due to the unexpected nature of the find, the recent excavations have offered even more spectacular results.

Three nearly complete crania and two new mandibles have been recovered, as well as some bones of the postcranial skeleton. The study of these fossils has confirmed the similarities of the Dmanisi hominids with Homo ergaster, but has also revealed some distinct characteristics in this population which is separated by thousands of kilometers from the African hominids. Further, the cranial capacities, or brain size, of the three skulls are very small and similar to the values recorded for Homo habilis. The smallest skull (D2700) has a brain size of about 600 cm^3, while the other two skulls, D2282 and D2280, have brain sizes of 650 and 770 cm^3, respectively. The Dmanisi hominids have been included by their discoverers in a new species, Homo georgicus, a probable descendant of Homo habilis. This implies that a form of hominid, with characteristics intermediate between Homo habilis and Homo ergaster, left Africa and began the first expansion into Eurasia at the end of the Pliocene, much earlier than we would have believed only a decade ago. It's still unclear whether this first dispersal was definitive. Was this an initial, short-term excursion from Africa only followed by a much greater exodus several hundred thousand years later? Alternatively, did the Dmanisi hominids extend their range through the south of Asia, reaching as far as the Indonesian archipelago, and give rise to the species known as Homo erectus? If so, did this first hominid dispersal also lead to the colonization of Europe, which must have occurred much earlier than even the Atapuerca discoveries? Before we go further, let's take a look at the hominids from TD6. Who were these people, and what role do they play in human evolution?

Phalanx of Homo antecessor.
Falange de Homo antecessor.

de los sedimentos de los diferentes niveles de Gran Dolina ha revelado que los niveles inferiores (TD2-TD6 y la porción inferior de TD7) se depositaron durante la llamada época Matuyama, en la que el polo magnético de la Tierra estuvo invertido con respecto a la situación actual. El periodo Matuyama se extiende entre 1.770.000 y 780.000 años, con un periodo intermedio de situación normal del campo magnético de la Tierra ocurrido hace entre 1.070.000 y 990.000 años, denominado Jaramillo. Las dataciones del nivel TD6 mediante los métodos de Electro Spin Resonancia (ESR) y series de Uranio, así como el estudio de los micro y macrovertebrados de los diferentes niveles de Gran Dolina, permiten situar cronológicamente los fósiles humanos de la Capa Aurora en un rango temporal de entre 780.000 y 850.000 años. De este modo, la presencia de homínidos en Europa más allá del límite de los 500.000 años quedó definitivamente probada. El hallazgo en 1990 de varios utensilios líticos en cuarcita en TD4, así como de algunas lascas de sílex en los niveles inferiores de la Sima del Elefante durante las dos últimas campañas en la Sierra de Atapuerca, nos llevan a plantear que ese primer poblamiento sucedió hace, cuando menos, un millón de años, durante el Pleistoceno inferior (1.770.000-780.000 años).

En 1991 tuvo lugar un hallazgo sorprendente en el yacimiento de Dmanisi, localidad situada en la República de Georgia, entre el mar Caspio y el mar Negro, no lejos del Cáucaso y a las puertas de Europa. En este sitio se localizó una mandíbula de homínido de rasgos muy primitivos, asociada un rico conjunto de utensilios líticos del Modo 1 y restos de macro y microvertebrados. La antigüedad de esta mandíbula fue determinada a partir de datos paleomagnéticos y bioestratigráficos en, al menos, 1.750.000 años. La morfología y dimensiones de la mandíbula de Dmanisi indicaban afinidades con las especies africanas Homo ergaster y Homo habilis. Si bien las primeras publicaciones del yacimiento vinieron marcadas por el debate que produjo un hallazgo tan inesperado, las últimas campañas de excavación han ofrecido resultados espectaculares. Se han recuperado tres cráneos muy completos y dos nuevas mandíbulas, así como ciertos elementos del esqueleto postcraneal. El estudio de estos fósiles humanos ha confirmado las afinidades de los homínidos de Dmanisi con Homo ergaster, pero también ha revelado algunos rasgos propios de una población separada por miles de kilómetros de los homínidos africanos. Además, las capacidades craneales de los tres cráneos son muy pequeñas y similares a las que se han obtenido en Homo habilis. El neurocráneo más pequeño (D2700) tiene una capacidad no superior a 600 cc, mientras que los ejemplares D2282 y D2280 tienen una capacidad de 650 y 770 cc, respectivamente. Los homínidos de Dmanisi han sido incluidos por sus descubridores en una nueva especie, Homo georgicus, probable descendiente de Homo habilis. Todo ello lleva a considerar que una forma de homínido, de rasgos intermedios entre Homo habilis y Homo ergaster traspasó finalmente los límites de África e inició una primera expansión por Eurasia a finales del Plioceno, mucho antes de lo que hace tan sólo una década podíamos imaginar.

Queda pendiente conocer si esta primera dispersión fue definitiva y los homínidos de Dmanisi se extendieron por el sur de Asia hasta alcanzar el actual archipiélago de Indonesia, dando lugar a la especie Homo erectus. También es importante averiguar si esa primera dispersión produjo la colonización de Europa, que habría sucedido, por tanto, mucho antes de lo que nos indican los hallazgos de la Sierra de Atapuerca. Pero antes de seguir adelante es imperativo conocer algo más sobre los homínidos de TD6. ¿Quiénes eran estos homínidos y qué lugar ocupan en la evolución humana?

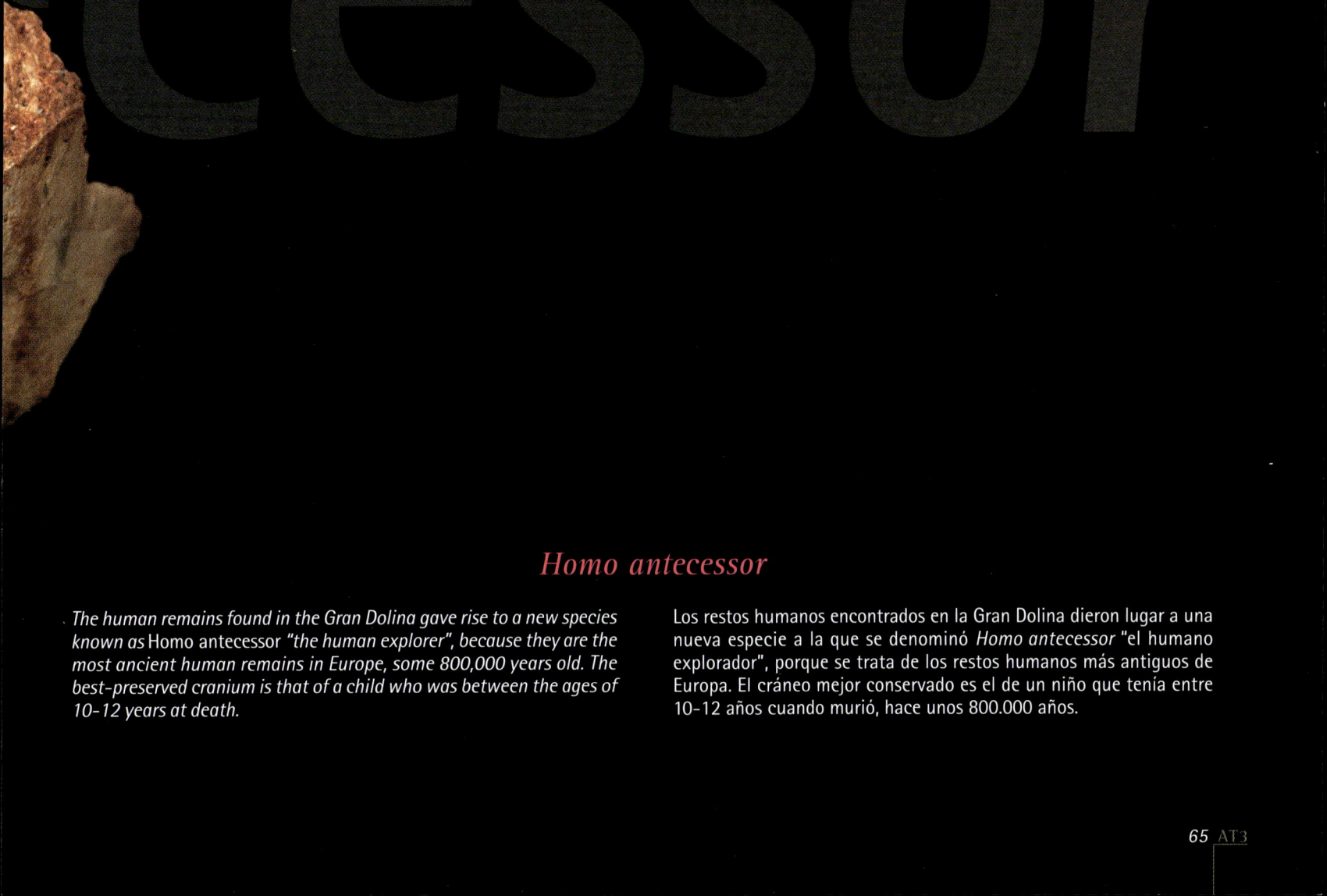

Homo antecessor

The human remains found in the Gran Dolina gave rise to a new species known as Homo antecessor *"the human explorer"*, because they are the most ancient human remains in Europe, some 800,000 years old. The best-preserved cranium is that of a child who was between the ages of 10-12 years at death.

Los restos humanos encontrados en la Gran Dolina dieron lugar a una nueva especie a la que se denominó *Homo antecessor* "el humano explorador", porque se trata de los restos humanos más antiguos de Europa. El cráneo mejor conservado es el de un niño que tenía entre 10-12 años cuando murió, hace unos 800.000 años.

The human fossils from TD6

The human fossil remains from the Aurora stratum in TD6 correspond to different skeletal parts from a minimum of six individuals. This assemblage includes fragments of the maxilla (upper jaw) and the mandible (lower jaw) as well as parts of the temporal, frontal, occipital, zygomatic, and sphenoid bones. Among the postcranial elements, portions of the clavicle, radius, femur, ribs, vertebrae, patella, and various foot and hand elements (such as metacarpals, metatarsals, hamates and 16 phalanges) are preserved. The maxillary and mandibular fragments, as well as the 30 deciduous (milk) and permanent teeth which form part of the sample indicate that the fossils correspond to two children who died between 3 and 4 years of age (Hominids 2 and 6), two adolescents, one of them between 10-12 years old (Hominid 3) and the other between 13-14 years old (Hominid 1), and two adults who died around 20 years of age (Hominids 4 and 5).

Figure 1 lists the remains that belong to each of these individuals. Hominid 1 is well represented by a mandibular fragment, with three molars still in their tooth sockets, and a small fragment of maxilla with the canine and first premolar still in their sockets as well as several more loose teeth. Hominid 2 is recognized by the left portion of a maxilla with the deciduous canine and first deciduous molar in their sockets, as well as the still-forming toothbuds of the permanent incisors, canine and first premolar. Hominid 3 comprises a fragment of the frontal (forehead) bone, which preserves most of the right side and part of the left, as well as a large part of the facial skeleton, including the maxilla and zygomatic (cheek) bone. Several permanent teeth are still in their sockets within the maxilla, some of which are still erupting (the canine, second premolar and second molar) or in the process of crown formation (third molar).

The TD6 human teeth are larger and more complex than those of living humans. The upper lateral incisor presents a "shovel-shaped" morphology, with thickened crests along the margins of the tooth, somewhat different from that which is still preserved in some recent populations. The premolars and molars have extra cusps and numerous enamel crenulations ("wrinkles") on the chewing surface. The lower premolars have more than one root, well-developed talonids on the chewing surface and enamel folds on the buccal (cheek) surface. Finally, the size proportions of the tooth crowns, whether comparing within the same class of tooth (premolars or molars) or whether comparing between classes (incisors vs. molars) are very different from modern populations. The TD6 teeth clearly show a "primitive" pattern shared with other species of Homo: Homo habilis, Homo ergaster and Homo erectus. In contrast to the primitive pattern seen in the teeth, the face of Hominid 3, represented by the adolescent maxilla numbered ATD6-69, shows an identical morphology to that seen in modern humans, like ourselves. In the midface, living humans show a distinctive anatomy, which until the discovery of ATD6-69, was believed to be unique to our species, Homo

Los fósiles humanos de TD6

Los restos fósiles humanos de la Capa Aurora de TD6 corresponden a diferentes partes esqueléticas de un mínimo de seis individuos. En el conjunto se identifican fragmentos de temporal, frontal, occipital, zigomático, esfenoides, maxilar, mandíbula, clavícula, radio, fémur, costillas, vértebras lumbares, sacras, dorsales y cervicales, así como un atlas y un axis, además de dos rótulas completas y distintos elementos de pie y mano (metacarpo, metatarso, hueso grande, ganchoso y 16 falanges). Los restos de maxilar y mandíbula, así como los 30 dientes deciduos y permanentes que forman parte de la muestra nos han permitido conocer que los fósiles corresponden al menos a dos niños, que murieron a una edad de entre 3 y 4 años (Homínidos 2 y 6); dos adolescentes, uno de ellos de unos 10-12 años (Homínido 3) y otro de entre 13 y 14 años (Homínido 1), y dos adultos que murieron alrededor de los 20 años (Homínidos 4 y 5).

En el cuadro 1 se indican los elementos que identifican a los seis individuos. El Homínido 1 está bien representado por un fragmento de mandíbula con los tres molares en sus alveolos y un pequeño fragmento de maxilar con el canino y primer premolar incluidos, así como por varios dientes sueltos. El Homínido 2 se reconoce por un hemimaxilar izquierdo, que conserva el canino y primer molar deciduos, así como los gérmenes de los incisivos, canino y primer premolar permanentes. El Homínido 3 está representado por un fragmento de hueso frontal, que conserva buena parte del lado derecho y una pequeña porción del lado izquierdo, así como una gran parte del esqueleto facial, que incluye el maxilar y el hueso zigomático. En el maxilar se conservan varios dientes permanentes, algunos en proceso de erupción (canino, segundo premolar y segundo molar) o en proceso de desarrollo de la corona (tercer molar).

Los dientes humanos de TD6 son más grandes y complejos que los de las poblaciones modernas. El incisivo lateral superior presenta una "forma en pala" algo distinta de la que aún conservan algunas poblaciones recientes. Los premolares y molares de TD6 tienen cúspides accesorias y numerosos pliegues o crenulaciones del esmalte en las caras oclusales. Los premolares inferiores presentan varias raíces y talónidos bien desarrollados y pliegues de esmalte en las caras bucales. Finalmente, las proporciones de tamaño de las coronas, tanto las que se obtienen comparando un mismo tipo de dientes (premolares y molares) como las que se obtienen a partir de distintos tipos de dientes (incisivos vs. molares, por ejemplo) son muy diferentes a las de las poblaciones modernas. En definitiva, los dientes humanos de TD6 presentan un patrón "primitivo", compartido con otras especies de Homo: Homo habilis, Homo ergaster y Homo erectus.

En contraste con este patrón primitivo de los dientes, la cara del Homínido 3 de TD6, representada por ATD6-69, muestra una morfología idéntica a la que presentamos las poblaciones humanas modernas. En su parte media la cara humana moderna muestra una morfología

The first human remain which appeared in the test pit in
level TD6 of the Gran Dolina was a tooth. Within a few
centimeters two more appeared.

El primer resto humano que apareció en el nivel TD6 del
sondeo de la Gran Dolina fue un diente. En apenas unos
centímetros aparecieron dos más.

sapiens. *An important component of this midfacial anatomy are the infraorbital plates, located to the side of the nose and below the eyes, which are formed by the maxillary and zygomatic bones and whose suture (the line of fusion between the two bones) crosses it diagonally. In* Homo sapiens, *these infraorbital plates face toward the front. However, they don't look completely forward, but rather forward and somewhat downward as well. Because of this orientation, the maxilla has a depressed area on its surface, which corresponds to an anatomical structure known as the canine fossa, although this term is somewhat imprecise and has been used in different ways. In addition, in* Homo sapiens, *the bony margins of the nasal cavity are placed further forward than the rest of the face, which produces a certain "prognathism" or projection of the midface, known as midfacial prognathism. We could say that the walls of the nasal cavity run in a parasagittal plane, that is, parallel to the sagittal plane or midline of the body, while the infraorbital plates face forward but are located behind the borders of the nasal cavity. In an idealized representation of the modern human midface, the infraorbital plates and the walls of the nasal cavity join in a right angle, but in reality there is a smoother transition between the two surfaces. This is the morphological pattern which characterizes ATD6-69.*

The fossil numbered ATD6-58, which consists of part of the left maxilla and malar (cheek) bone, provides information on the midfacial anatomy of the adult specimens of Homo antecessor. *This fossil also shows the presence of a canine fossa, but less pronounced than that in ATD6-69. This leads us to believe that in adult members of the TD6 population the face was larger and more inflated than in the juveniles, due to the expansion of the maxillary sinuses during adolescence. The reduction of the facial skeleton in adults is characteristic of* Homo sapiens *and corresponds to a weaker development of the chewing muscles. As a consequence, the face in our species is more similar to the immature individuals of the species represented in TD6. As we will see, the midface of immature individuals of other Pleistocene human species doesn't present this modern morphology.*

In Australopithecus *and* Paranthropus, *the infraorbital plates also face forward, but they are oriented either vertically or even face slightly upwards. Further, the margins of the nasal cavity are not placed further forward than the infraorbital plates, and in* Paranthropus *the margins are even placed slightly behind the cheek bones, making the entire face appear somewhat concave.*

The flattened nasal bones, located between the eyes and forming the upper margin of the bony nasal cavity, do not stand out from the rest of the face in profile. Nor do they form an osseous bridge. This morphology is also encountered in fossils of the genus Homo *attributed to* Homo habilis *and* Homo rudolfensis, *as well as in the Dmanisi skulls. This situation changes somewhat in* Homo ergaster, *where the nasal cavity develops more anteriorly, pushing the bony margins forward with respect to the midfacial region (the infraorbital plates). Related to this anterior expansion of the nasal chamber in* Homo ergaster, *the nasal bones are oriented more horizontally in profile view than in the previously mentioned species and form an osseous bridge making up the roof of the nasal cavity. This morphology can be easily seen in some African fossils such as the adult individual KNM-ER 3733 (Kenya), as well as in the juvenile KNM-WT 15,000 (Kenya) specimen, the so-called Turkana*

distintiva, que hasta el hallazgo de ATD6-69 se consideraba única de nuestra especie. Un elemento muy importante de la misma lo constituyen las superficies óseas situadas a cada lado de la abertura nasal y por debajo de las órbitas, que se denominan placas infraorbitarias y están formadas por los huesos maxilar y zigomático (cuyas suturas de unión las atraviesan en diagonal).

En *Homo sapiens* las placas infraorbitarias están dispuestas frontal o coronalmente, pero no se orientan completamente hacia delante, sino que miran también un poco hacia abajo. Quedan así unas superficies deprimidas en el maxilar, que se corresponden más o menos con lo que generalmente se denomina fosa canina (este término es poco preciso y ha sido utilizado de varias formas). Además, en *Homo sapiens* la abertura nasal está adelantada con respecto al resto de la cara, es decir, que hay un cierto prognatismo o proyección de la parte media de la cara (llamado prognatismo mediofacial). De una manera algo exagerada podríamos decir que las paredes de la cavidad nasal se disponen parasagitalmente (es decir, en un plano paralelo al plano sagital o medio), mientras que las placas infraorbitarias tienen una disposición frontal y retrasada con respecto a la abertura nasal. En una representación idealizada, las placas infraorbitarias y las paredes de la abertura nasal se unirían en un ángulo recto, pero en realidad hay un tránsito más suave entre ambas superficies. Este patrón morfológico es el que se encuentra en ATD6-69.

El fósil ATD6-58, que sólo conserva una parte de los huesos maxilar y malar del lado izquierdo, nos permite saber como era la anatomía de la cara media de los adultos de *Homo antecessor*. En este fósil puede apreciarse también la presencia de fosa canina, aunque está menos marcada que en ATD6-69. Nosotros creemos que en los individuos adultos de la población de TD6 la cara era más grande y estaba más hinchada que en el ejemplar juvenil (por la expansión de los senos maxilares durante la adolescencia). La reducción del esqueleto facial en el adulto es una característica de Homo sapiens, y responde a un menor desarrollo del aparato masticador. Como consecuencia, el esqueleto de la cara de nuestra especie muestra un mayor parecido con los individuos inmaduros que con los adultos de la especie representada en TD6. Como luego veremos, la cara media de individuos inmaduros de otras especies del Pleistoceno no presenta una morfología moderna, similar a la observada en ATD6-69.

En los australopitecos y parántropos, las placas infraorbitarias se disponen también coronalmente, pero son verticales o más bien miran un poco hacia arriba. Además, la abertura nasal no está situada muy por delante de las placas infraorbitarias, y en los parántropos incluso está retrasada con respecto a los pómulos, dándole al conjunto de la cara un aspecto cóncavo.

En relación con la posición de la abertura nasal en la topografía de la cara, los huesos nasales no destacan como un relieve, es decir, que no rompen el perfil de la cara ni forman un caballete o puente óseo (son planos). Esta morfología es la que se encuentra en los fósiles del género Homo asignados a las especies *Homo habilis* y *H. rudolfensis*, así como en los cráneos de Dmanisi. En *Homo ergaster* se produce un cierto cambio con respecto a esta situación, en el sentido de que la cavidad nasal se desarrolla algo más hacia adelante, avanzando un poco la abertura nasal respecto de las regiones laterales de la cara media (las placas infraorbitarias). En relación con esta expansión anterior de la

boy. This latter fossil provides us with an excellent comparison for the adolescent Hominid 3 from Gran Dolina because both of these immature individuals were at similar growth stages when they died. In spite of these changes just described, the facial architecture in the earliest humans presents little relief compared with our own species. That is, the lack of a forwardly placed nasal chamber, forming a markedly positive relief, and excavated infraorbital plates in the region of the canine fossa, give it an "unsculpted" appearance.

We're not sure what this region looked like in Homo erectus because there are very few skulls which preserve the face, and even these have led to different interpretations. The most complete specimen is Sangiran 17, from the island of Java in Southeast Asia, which, although deformed, looks like a more robust (heavily built) version of the Homo ergaster face. We should point out here that the cranium of Homo erectus is also a robust version, with a few minor differences, of that of Homo ergaster. It doesn't seem, therefore, that the facial anatomy in Homo erectus was like our own, nor like that of ATD6-69, but rather represents the evolutionarily primitive state. If this is true, the species represented by the Gran Dolina fossils couldn't be the ancestor of Homo erectus. This is our current hypothesis, although, of course, we need more fossils to be completely certain.

The Neandertals, on the other hand, present a midfacial anatomy completely different from both the primitive condition seen in Homo erectus and that of our own species. In these fossils, the nasal cavity projects even further forward than in Homo sapiens. Consequently, the nasal bones are oriented completely horizontal, and the walls of the nasal cavity flow smoothly into the infraorbital plate, forming a single surface and giving the midface a more pointed appearance. In this midfacial morphology, the canine fossa is absent, and the cheeks are not pronounced. We believe that the Neandertal midface evolved from the condition seen in ATD6-69, which is also our own, and, in terms of this anatomical characteristic, the Neandertals are evolutionarily more specialized (or "derived") than ourselves.

European Middle Pleistocene fossils such as Arago 21, Petralona, Steinheim or those from the Sima de los Huesos in the Sierra de Atapuerca show an intermediate stage. In the evolutionary line which gave rise to ourselves, a modern midfacial morphology can be seen in fossils from the sites of Skhul and Qafzeh (both in Israel) at the beginning of the Upper Pleistocene, and in other African fossils which may be even older, such as Jebel Irhoud 1 (Morocco), Laetoli 18 (Tanzania), Broken Hill 2 (Zambia) and Florisbad (South Africa), as well as in the Chinese skull from the site of Dali. Other African fossils, in particular the skulls from Bodo (Ethiopia) and Broken Hill 1, don't show a modern midface, but neither are they like the Neandertals nor the earliest humans. Our interpretation of these individuals is that the expansion of the maxillary sinuses in these adult faces has disfigured the more modern-looking immature characteristics. Thus, the Bodo specimen presents the peculiar condition of having a very large facial skeleton which is also very inflated. Some researchers have also emphasized the importance of the lower borders of the infraorbital plates. They point out that in Asian Homo erectus fossils, this border, technically known as the zygomatic crest, is horizontal and its most medial part (that closest to the midline of the body) is located somewhat above the alveolar margin (the level of the toothrow). This morphology is also that seen in our own species, which

cámara nasal, los huesos nasales se disponen más horizontalmente en el perfil de la cara que en los otros homínidos mencionados, y transversalmente forman un pequeño caballete (a modo de tejadillo). Esta morfología se aprecia bien en el individuo adulto ER 15000, así como en el juvenil WT 15000 (el denominado niño del Turkana), que nos sirve de magnífica referencia porque su estado de desarrollo dental está próximo al del Homínido 3 de la Gran Dolina. Pese a estos cambios, la topografía de la cara en los primeros humanos presenta pocos relieves si se compara con la de nuestra propia especie; es decir, está poco "esculpida" al carecer de una abertura nasal adelantada, formando un gran relieve positivo y unas placas infraorbitarias excavadas (en la región de las fosas caninas).

No conocemos bien cómo es esta región de la cara en Homo erectus. Hay pocos restos del esqueleto facial, que han dado lugar a diferentes interpretaciones. El más completo es el de Sangiran 17 que, aunque deformado, parece una versión más robusta de la cara de Homo ergaster (del mismo modo que también puede afirmarse que el cráneo cerebral de Homo erectus es una versión robusta, con algunos retoques, del de Homo ergaster). No parece, por lo tanto, que en Homo erectus la morfología facial fuera como la nuestra o como la de ATD6-69, sino que más bien creemos que era la primitiva. De ser esto cierto, la especie representada por los fósiles de la Gran Dolina no sería antepasada de Homo erectus. Esta es nuestra hipótesis actual, aunque sin duda hacen falta todavía más fósiles para estar completamente seguros.

Un modelo de cara media totalmente diferente del primitivo y también del nuestro es el que presentan los neandertales. En estos fósiles se ha producido una mayor proyección de la cavidad nasal hacia adelante que en Homo sapiens. Como consecuencia, los huesos nasales se disponen totalmente horizontales. A cada lado de la abertura nasal, las paredes de la cavidad nasal y las placas infraorbitarias se continúan en una única superficie, dando a la cara media un aspecto apuntado. En esta morfología facial no hay fosas caninas y los pómulos no aparecen marcados. En nuestra opinión, la morfología de la cara media de los neandertales deriva de la que se observa en ATD6-69, que es también la nuestra. Los neandertales estarían en este rasgo anatómico más especializados que nosotros. Los fósiles europeos del Pleistoceno medio, como Arago 21, Petralona, Steinheim o los de la Sima de los Huesos en la Sierra de Atapuerca, muestran características intermedias. En la línea evolutiva que conduce hasta nosotros, hay morfologías modernas en los fósiles levantinos de Skhul y Qafzeh, de comienzos del Pleistoceno superior, y también en fósiles africanos posiblemente más antiguos, como Jebel Irhoud 1, Laetoli (Ngaloba) 18, Broken Hill 2 y Florisbad, o Dali en China. Otros fósiles africanos, en particular los cráneos de Bodo y Broken Hill 1, no tienen una morfología facial moderna, pero tampoco son como los neandertales ni como los primeros humanos. Nosotros interpretamos que en estos individuos la expansión de los senos maxilares en la cara adulta ha desfigurado los rasgos infantiles, de aspecto más moderno. Así, el ejemplar de Bodo presenta la particularidad de tener un esqueleto facial enorme y muy hinchado. Algunos autores han dado mucha importancia al borde inferior de las placas infraorbitarias. Según ellos, en los fósiles asiáticos de Homo erectus este borde, llamado técnicamente cresta zigomaxilar, es horizontal y su extremo más medial está a cierta altura respecto del reborde alveolar. Esta morfología es también la de nuestra especie, por

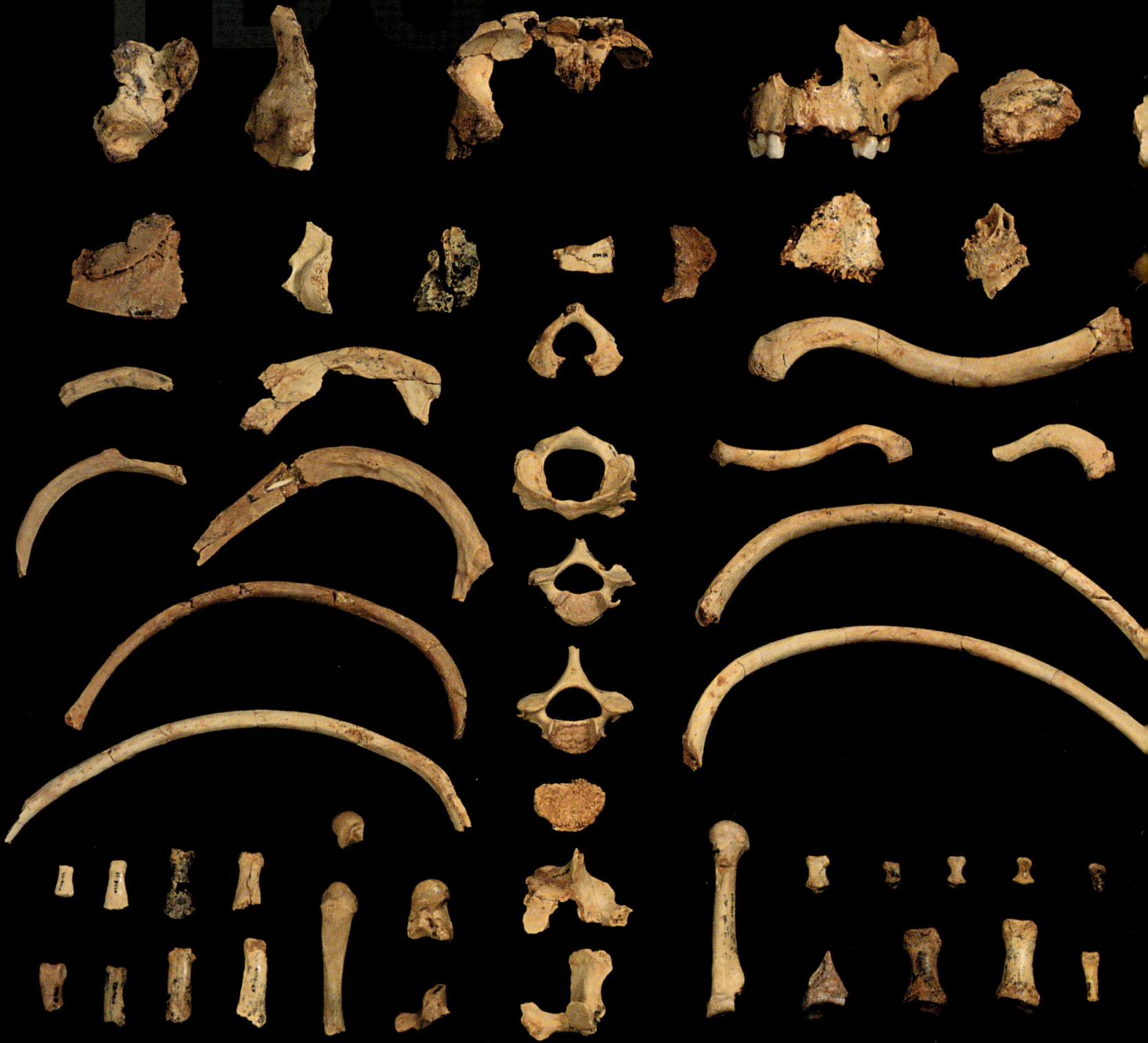

The sample of human fossils from TD6.

In total, more than 80 human fossils from all parts of the skeleton have been found. The inventory of the maxillary, mandibular and dental remains have allowed a minimum of six different individuals to be identified.

El registro fósil de TD6

En total han aparecido más de 80 fósiles humanos de todas las partes del esqueleto. El inventario de los restos de maxilar, mandíbula y dientes humanos permiten identificar un mínimo de seis individuos diferentes.

Inventory No.	Fossil	Hominid
ATD6-5	Right mandibular w/(M1-M3)	
ATD6-13	Left maxillary w/(C-P3)	
ATD6-1	Left canine (C)	
ATD6-2	Left lateral incisor (I2)	
ATD6-3	Right first premolar (P3)	
ATD6-4	Right second premolar (P4)	H1
ATD6-6	Lower canine (C)	
ATD6-7	Right first premolar (P3)	
ATD6-8	Right second premolar (P4)	
ATD6-9	Left second premolar (P4)	
ATD6-10	Right first molar (M1)	
ATD6-11	Left first molar (M1)	
ATD6-12	Right second molar (M2)	
ATD6-14	Left maxillary w/(dc-dm1)	H2
ATD6-15	Frontal bone	
ATD6-69	Left maxilla and zygomatic bone w/ Left P3, M1, M2 (unerupted) and M3 (toothbud) and Right I2-M1	H3
ATD6-48	Left lateral incisor (I2)	H4
ATD6-52	Left central incisor (I1)	H5
ATD6-312	Left lateral incisor toothbud (I2)	H6

: fragment   : lower   : upper

could lead us to believe there is a certain evolutionary continuity between Homo erectus and Homo sapiens. On the other hand, the lower border of the infraorbital plates in the Neandertals is not horizontal, but runs diagonally, with its most medial part almost joining the alveolar margin, or tooth row. Nevertheless, in the fossils mentioned previously from Gran Dolina, as well as in a third fragment numbered ATD6-19 (a small fragment of the right infraorbital plate), the zygomatic crest is horizontal and the most medial part is located above the alveolar margin. This indicates that the morphology seen in Homo antecessor represents the evolutionarily primitive state, while that of the Neandertals is a derived condition. The fragments of temporal bone recovered from TD6 preserve two characteristics which also provide information on the evolutionary relationships of Homo antecessor with other Pleistocene species of Homo. The TD6 fossils show the presence of a styloid process, a long, thin bony projection emerging from the base of the skull which serves as an attachment site for several neck muscles. This is a primitive characteristic, which is also present in most skulls that belong to the genus Homo. However, in Homo erectus, the styloid process is not fused to the base of the skull, and this species shows a derived condition for this trait. Further, the upper margin of the temporal squama (the flattened portion forming part of the side of the skull) is high and arched, like other Middle Pleistocene fossils from Africa and Europe, as well as in the Neandertals and ourselves. Homo erectus, Homo ergaster and Homo habilis, on the other hand, have a low and relatively straight upper margin to their temporal squama. The expression of this characteristic in Homo antecessor underlines its close evolutionary relationship with the Neandertals, modern humans and their respective Middle Pleistocene precursors.

This combination of traits in the cranial and dental remains, together with a number of generalized characteristics in the mandibular fragment ATD6-5 which are common to all Lower and Middle Pleistocene hominids from Africa and Europe, led us to propose a new species of the genus Homo, defined by the TD6 fossils: Homo antecessor. In Latin, the name "antecessor" means explorer, or pioneer, and we wanted to suggest that the TD6 hominids belong to a species which colonized Europe during the Lower Pleistocene, much earlier than the emergence of populations represented by fossils such as the Mauer mandible, the Boxgrove tibia or the Sima de los Huesos at Atapuerca. But what was the origin and destiny of Homo antecessor? What role did this species play in human evolution? The primitive pattern of its teeth and the generalized morphology of the mandible of Homo antecessor don't help much in placing this species within the human evolutionary tree. Some of the dental and mandibular characteristics suggest that Homo antecessor is related to Homo ergaster, a Lower Pleistocene species from Africa, whose most complete representatives date to between 1.7-1.5 million years ago. Nevertheless, the new evidence from Dmanisi forces us to reopen the debate on the first Europeans. There is no evidence that the population represented by the hominids from this Georgian site expanded into Europe, and they may never have done so. Even if Homo georgicus did occupy Europe during the Lower Pleistocene, there wouldn't necessarily have to be an ancestor-descendant relationship with Homo antecessor. The comparisons made to date between the two species, although quite preliminary, indicate some clear differences. As mentioned previously, it's also possible that the Dmanisi hominids spread out through southern Asia, reaching the island of Java in the extreme southeast and giving rise to the species Homo erectus.

lo que podría pensarse que hay una continuidad evolutiva entre Homo erectus y Homo sapiens. Por el contrario, en los neandertales el borde inferior de las placas infraorbitarias no es horizontal, sino que se dirige diagonalmente hasta prácticamente el reborde alveolar. Sin embargo, en los dos fósiles mencionados de la Gran Dolina, junto con un tercero siglado ATD6-19 (un pequeño fragmento de la placa infraorbitaria del lado derecho), la cresta zigomaxilar es horizontal y de raíz alta, por lo que queda claro que ésta es la condición primitiva, y la de los neandertales la derivada.

Por otra parte, los diferentes fragmentos de hueso temporal recuperados hasta la fecha en TD6, permiten establecer la morfología de Homo antecessor en dos rasgos con significado filogenético. Por una parte, los fósiles de TD6 presentan la apófisis estiloides. Este es un rasgo primitivo presente en la mayor parte de los representantes de Homo, mientras que la no fusión de las apófisis estiloides a la base del cráneo es un rasgo derivado de Homo erectus. Por otro lado, el borde superior de la escama temporal de Homo antecessor es elevado y arqueado, como en los fósiles humanos del Pleistoceno medio de África y Europa, los neandertales y la humanidad actual. Por el contrario, los ejemplares de Homo erectus, Homo ergaster y Homo habilis presentan huesos temporales con escamas cuyos bordes superiores son más bajos y rectilíneos. La presencia de este rasgo delata la estrecha relación filogenética de Homo antecessor con los neandertales, la humanidad moderna y sus respectivos antepasados del Pleistoceno medio. Esta combinación de rasgos en el material craneal y dental, junto a una serie de rasgos generalizados y comunes a todos los homínidos del Pleistoceno inferior y medio de África y Europa observados en la mandíbula ATD6-5, nos llevó a nombrar y definir una nueva especie del género Homo: Homo antecessor. En latín, el nombre "antecessor" significa explorador, pionero. De este modo, quisimos sugerir que los homínidos de TD6 pertenecen a la especie que colonizó Europa durante el Pleistoceno inferior, sin duda mucho antes de que las poblaciones representadas por fósiles como los de Mauer, Boxgrove o de la Sima de los Huesos de Atapuerca desarrollaran su existencia en este continente. Pero, ¿cuál fue el origen y el destino de Homo antecessor? En otras palabras, ¿qué papel ha jugado esta especie en la evolución humana?

El patrón primitivo de los dientes y la morfología generalizada de la mandíbula de Homo antecessor no facilita la labor de situar esta especie en la filogenia humana. Algunos rasgos dentales y mandibulares invitan a pensar que Homo antecessor está relacionado con Homo ergaster, una especie africana del Pleistoceno inferior, cuyos representantes más completos tienen una antigüedad de entre 1,7 y 1,5 millones de años. No obstante, las nuevas evidencias de Dmanisi nos obligan, una vez más, a reabrir el debate de los primeros europeos. No hay todavía datos para afirmar que la población representada por los homínidos de este yacimiento georgiano se expandieran por Europa. Tal vez nunca lo hicieron. Aún en el caso de que Homo georgicus ocupara Europa durante el Pleistoceno inferior no habría de tener necesariamente una relación antecesor-descendiente con Homo antecessor. Las comparaciones realizadas hasta la fecha, si bien son muy preliminares, indican diferencias muy netas entre las dos especies. Como se comentó en un párrafo anterior, cabe pensar también que los homínidos de Dmanisi se extendieran por el sur de Asia hasta alcanzar el extremo del sudeste asiático, donde habrían dado lugar a la especie Homo erectus.

Mandible of Homo antecessor. *The age at death of this individual was around 14 years.*

Mandíbula de *Homo antecessor* ; se calcula que la edad del indivíduo era de unos catorce años.

Homo antecessor

The stone tools found with the human fossils were crude. We know that their extremities were long, like in our own species, and not short, like the Neandertals. As cruel as it seems, the Gran Dolina boy, together with five or more of his companions, was a victim of cannibalism.

Los instrumentos que fabricaban, encontrados junto a los fósiles humanos, eran toscos. Sabemos que sus extremidades eran largas, como en nuestra especie, y no cortas, como en los neandertales. Por cruel que resulte, el muchacho de la Gran Dolina fue víctima, junto con cinco o más de sus compañeros, del canibalismo.

Development and Body Proportions of Homo Antecessor

The completely modern anatomy of ATD6-69 suggests a close evolutionary relationship between Homo antecessor and our own species. Although ATD6-69 belongs to an immature individual and the adult facial anatomy of Homo antecessor wasn't exactly the same as in the adults of our species, we now know that the modern human face appeared through a process called neoteny. This occurs when the adults of a certain species, in this case Homo sapiens, retain anatomical aspects characteristic of juvenile individuals. This evolutionary process is usually brought about through what is known as heterochrony, a change in the rate and timing of the somatic (body) development between ancestors and their descendants. This is how adults of Homo sapiens have retained the juvenile aspect of the face from our ancestor species.

On the other hand, our studies of Hominids 1, 2 and 3, have revealed that the pattern of dental development in the TD6 hominids, which is a reliable indicator of somatic development, is identical to that of modern populations. The dental development pattern is defined by the formation times of the crowns and roots of all the teeth and by the sequence of different important moments in tooth formation. These moments refer primarily to the beginning and end of the crown and root formation of each tooth, which have a particular timing in every species. Hominids 1, 2 and 3 from TD6 preserve teeth which are at different stages in their formation and eruption, and which has allowed us to pinpoint this timing in several teeth at the moment of their death. The pattern of dental development has a very strong genetic component and is only slightly influenced by external factors in the environment. Further, the pattern of dental development preserves a strict correlation with different aspects of what is known as the "life history pattern" of a species. Among these aspects, the different stages which define the general somatic development of a species deserve special attention. In chimpanzees and gorillas, somatic development occurs during the first 11-12 years of life. During this time, these species experience a long period of infancy, which corresponds with breastfeeding, followed by a long juvenile period, which ends when the animal reaches sexual maturity. So far, all the available evidence indicates that species of Australopithecus, Paranthropus and the earliest members of the genus Homo had a pattern of dental development that was similar in many aspects to chimpanzees and gorillas. Thus, these hominids could have had a developmental model similar to these primates, with long infant and juvenile periods, and no more than 11 years of somatic development before reaching sexual maturity.

Homo antecessor represents the oldest hominid species in which a completely modern human dental development pattern has been described. This suggests that the two new stages in somatic development which characterize our species were also present in Homo antecessor: childhood and adolescence. Further, the duration of somatic development in this species would also have been prolonged, as in Homo sapiens,

Desarrollo y proporciones corporales en Homo antecessor

La morfología totalmente moderna de ATD6-69 sugiere una relación filogenética de *Homo antecessor* con nuestra especie. Aunque ATD6-69 pertenezca a un individuo inmaduro y la morfología de la cara de los adultos de *Homo antecessor* no fuera totalmente similar a la de los adultos de nuestra especie, ahora sabemos que la morfología moderna de la cara apareció mediante un proceso pedomórfico de neotenia. Este proceso de evolución por heterocronía (cambio en los tiempos y tasas de desarrollo de las especies antecesoras con respecto a sus especies descendientes) posibilitó a los adultos de *Homo sapiens* retener el aspecto juvenil de la cara de nuestra especie antecesora. Por otro lado, el patrón de desarrollo dental de los homínidos de TD6 es idéntico al de las poblaciones modernas, como han revelado nuestras investigaciones de los Homínidos 1, 2 y 3 de TD6. El patrón de desarrollo dental está definido por el tiempo de formación de las coronas y raíces de todos los dientes y por el orden que transcurre entre los distintos momentos importantes en la formación de los dientes. Estos momentos se refieren sobre todo al inicio y final en la formación de la corona y raíz, que en cada especie tienen su ritmo ("timing") particular. Los Homínidos 1, 2 y 3 de TD6 conservan dientes en diferentes fases de su desarrollo y erupción, que han permitido conocer ese ritmo en el momento de su muerte.

El patrón de desarrollo dental tiene un fuerte componente genético y está poco influido por circunstancias del ambiente. Además, el patrón de desarrollo dental guarda una estrecha correlación con diferentes rasgos del denominado "modelo de historia biológica" ("life history pattern") de las especies. Entre estos rasgos cabe señalar de manera muy especial las diferentes etapas que definen el desarrollo general de una especie. En chimpancés y gorilas el desarrollo dura no más de 11 ó 12 años y en ese tiempo se suceden una larga etapa de infancia, que se corresponde con la época de lactancia, y una etapa juvenil, también muy prolongada, que concluye con la madurez sexual. Todo parece indicar que los australopitecos, los parántropos y las formas más primitivas de *Homo* tuvieron un patrón de desarrollo dental similar en muchos aspectos al de chimpancés y gorilas. En consecuencia, estos homínidos pudieron tener un modelo de desarrollo similar al de estos primates, con etapas infantil y juvenil muy largas, y no más de 11 años de desarrollo total antes de la madurez sexual.

Homo antecessor representa la especie de homínido más antigua en la que se ha podido describir un patrón de desarrollo dental totalmente moderno. Esto sugiere que en *Homo antecessor* habrían aparecido las dos etapas nuevas que caracterizan el desarrollo de nuestra especie: la niñez y la adolescencia. Además, la duración total del desarrollo de esta especie se habría prolongado como en *Homo sapiens*, tal vez aproximándose ya a los 18 años que nos lleva a los humanos alcanzar el estado adulto.

La capacidad craneal también guarda una correlación muy alta con la

perhaps approximating the 18 years which it currently takes humans to reach the adult stage.

Brain size also maintains a very high correlation with the duration of somatic development. Theoretical analyses suggest that hominids reached a rate of development similar in duration to our own species when they crossed the 1000 cm³ threshold of cranial capacity. In the TD6 hominids, we can only approximate the cranial capacity based on the partial frontal bone ATD6-15. The dimensions (minimum frontal breadth and bistephanic breadth) are larger than in the skulls of Homo ergaster *and suggest a cranial capacity greater than 1000 cm³. Although this data is not definitive, it supports the conclusions reached from the study of dental development.*

The study of the different bones of the postcranial skeleton, that is, everything else but the cranium, is hampered by the fact that most of them are very incomplete. The most informative remains are an adult clavicle (ATD6-50), an adult radius (ATD6-43), two patellae (kneecaps), probably representing the same individual, as well as the different hand and foot elements. The anatomy of all these fossils, despite showing some primitive characteristics typical of the genus Homo *(with the exception of* Homo habilis*), seems to be very close to that of modern populations. The radius and the clavicle are both long, and the stature estimates based on these bones, using mathematical formulas based on modern humans, suggest the TD6 hominids were around 1.7 meters tall (about 5' 10"), a result which is consistent with the length of the metatarsal. The relatively long radius suggests a high value for the brachial index, a measure of the proportions of the humerus to the radius. This means that, for its stature,* Homo antecessor *would have had upper limb proportions similar to modern populations.*

Cannibalism in the Gran Dolina

In previous paragraphs, we have referred to the fragmentary nature of the TD6 human remains. The same could be said of the fossilized remains of the different large mammal species recovered from this level. Both the human and animal remains appear randomly dispersed throughout the six square meters excavated and the 25 cm in depth of the Aurora stratum. All the remains show a similar fracture pattern, which includes small percussion pits accompanied by striations and abrasions produced by the impact of hard objects. Wider and longer chopmarks, with a V-shaped profile, produced by a hard cutting edge used to cut tendons and dismember bones, as well as splintering typically produced by breaking the shafts of the smaller-diameter long bones, such as the radius and ulna, are also present throughout the assemblage. Numerous cutmarks and scraping marks can also be seen, produced by the sharp cutting edge of different stone tools when cutting tendons and flesh or when removing the periosteum and muscles from the bones. This evidence clearly suggests that the animal and human cadavers were subjected to the same processes of dismemberment, removal of the muscles, evisceration, and extraction of the periosteum and marrow

duración del desarrollo. Los análisis teóricos sugieren que los homínidos alcanzaron un desarrollo similar en duración al de nuestra especie cuando se superó la barrera de 1000 cc de capacidad craneal. En los homínidos de TD6 sólo podemos realizar una aproximación a su capacidad craneal a partir del frontal ATD6-15. Las dimensiones (anchura frontal mínima y anchura biestefánica) son más elevadas que en los ejemplares de *Homo ergaster* y sugieren una capacidad craneal superior a 1000 cc. Este dato, si bien no es definitivo, apoya las conclusiones obtenidas mediante el estudio del desarrollo dental.

El estudio de los diferentes huesos del esqueleto postcraneal tropieza con la dificultad de que la mayoría de ellos están muy incompletos. Una clavícula de adulto, ATD6-50, un radio también de adulto, ATD6-43, dos rótulas, probablemente del mismo individuo y los diferentes elementos de pies y manos, son los restos que ofrecen más información. La morfología de todos estos fósiles, si bien presenta algunos rasgos considerados primitivos para el género *Homo* (con excepción de *Homo habilis*) parece estar también muy próxima a la de las poblaciones modernas. La longitud del radio y de la clavícula es muy larga y la extrapolación de los datos a las fórmulas clásicas de Trotter y Gleser sugiere una estatura superior a 170 cm para los adultos de TD6, un resultado que se confirma con la medida de la longitud del metatarso. La elevada longitud del radio también sugiere una valor alto para el índice braquial; es decir, *Homo antecessor* tendría una proporciones de los miembros superiores con respecto a su estatura similares a los de las poblaciones modernas.

Canibalismo en la Gran Dolina

En párrafos anteriores nos hemos referido al estado fragmentario de los restos humanos de TD6. Lo mismo puede decirse de los restos fósiles de diferentes especies animales de macrovertebrados recuperados en TD6, que incluyen ciervo, gamo, megalocero, rinoceronte, caballo, jabalí, bisonte, pantera, mamut, oso, zorro y gato silvestre, así como un cánido, un mustélido y un cáprido.

Los restos humanos y los de estos animales aparecen dispersos al azar en los siete metros cuadrados excavados y en todo el espesor de la Capa Aurora de TD6. En todos los restos se observa un patrón similar de fractura, que incluye, entre otros estigmas, pequeñas áreas de hundimiento ("percussion pits") acompañadas de estrías y abrasiones, producidas por el impacto de objetos muy duros; marcas de percusión ("chopmarks"), más amplias y alargadas, con un perfil en V, producidas por un borde duro y cortante para cortar tendones o desmembrar huesos, así como astillamientos característicos ("peeling") producidos por el tronchamiento de las diáfisis de huesos largos de pequeño diámetro, como radios y ulnas. También se observan numerosas marcas de corte ("cutmarks"), producidas con el filo cortante de diferentes útiles líticos cuando se cortan tendones o la carne adherida a los huesos o marcas de raspado ("scraping marks"), producidas con utensilios líticos cuando

In paleontological research, it is a common practice to estimate the minimum number of individuals (MNI) of a certain species which are represented in a fossil sample. If we want to know the MNI of a vertebrate species, we begin by counting the bone which appears most often in the assemblage. Since most bones come in pairs, we must also distinguish the bones from the left side from those from the right. Nevertheless, the enormous importance of the sample of fossil hominids from the Sima de los Huesos merits a more thorough investigation to try to establish the total number of individuals represented in the collection. How do we determine this number? Before answering this question, let's learn a little more about the processes which occur between the time when an animal dies until its fossilized remains are discovered by an archaeologist or paleontologist, a science known as taphonomy.

The structure, size and shape of a bone are essential factors that influence which bones better resist these taphonomic processes. Once they're buried in the sediments, the bones are subjected to diverse biological and geological processes which affect their preservation or degradation. These processes lead to certain bones, such as the mandible, the occipital bone or the femur being preserved more often than others, and hence they appear in a higher frequency in the archaeological record.

Another important factor in the durability of the organic remains is their hardness. The enamel and dentine in the teeth are the most resistant substances in the mammalian skeleton. 97% of enamel and 75% of dentine is comprised of inorganic material in the form of calcium phosphate crystals (apatite). It shouldn't be surprising, then, that collections of fossilized mammals contain a large number of dental remains, whether isolated, or included in the mandible and maxilla. The durability of the teeth and the solid bony structure of the mandible is an advantageous combination, which explains the high frequency of these elements in the mammalian fossil record. With this in mind, the fossils which preserve better are also the best to use when trying to establish the MNI. Thus, each mandible, with or without teeth in their sockets, represents one individual. Given that each tooth only fits correctly into its own tooth socket, we should try to fit the maximum number of teeth possible into the available tooth sockets in the mandibles and maxillae. Many of the remaining loose teeth could belong to other individuals which we will try to identify. Each human being has their own personal dental characteristics. The size, shape, certain marks produced during the formation of the tooth (hypoplasias) and even the type and degree of tooth wear can be used to identify an individual. Following these criteria we can conclude that the sample of human fossils recovered to date in the Sima de los Huesos corresponds to at least 27 individuals.

En las investigaciones paleontológicas es práctica común tratar de averiguar el número mínimo de individuos (NMI) de una cierta especie representados en un conjunto de restos fósiles. Si deseamos saber el NMI de una especie de vertebrado, debemos proceder al recuento del hueso que aparece un mayor número de veces en la muestra. Como la mayor parte de los huesos son pares, contabilizamos bien los elementos del lado izquierdo, bien los del lado derecho. Sin embargo, la enorme importancia del registro fósil de homínidos de la Sima de los Huesos merece el esfuerzo de una investigación más profunda para intentar saber el número total de seres humanos representados en la muestra. ¿Cómo saber ese número? Antes de responder a esta pregunta, sepamos un poco más sobre los procesos que suceden desde que un animal muere hasta que alguno de sus restos acaba siendo registrado por arqueólogos y paleontólogos.

La estructura, el tamaño y la forma son factores esenciales que influyen sobre los huesos a la hora de resistir mejor los procesos tafonómicos. Una vez incluidos en las capas sedimentarias, los huesos quedan sometidos a diversos procesos biológicos y geológicos, que afectan a la conservación o degradación de los mismos. Las condiciones anteriormente comentadas, hacen que algunas partes del esqueleto, como la mandíbula, el occipital o el fémur, aparezcan mejor representados que otras, en las colecciones de fósiles recuperadas tras un riguroso proceso de excavación.

Otro factor esencial para la durabilidad de los restos orgánicos es su dureza. Así, el esmalte y la dentina de los dientes son las sustancias más resistentes del esqueleto de los mamíferos. El 97% y el 75% del esmalte y de la dentina, respectivamente, es material inorgánico en forma de cristales de fosfato cálcico (apatita). No es de extrañar, por consiguiente, que las colecciones de fósiles de mamíferos estén constituidas por un elevado número de piezas dentarias, bien aisladas, bien incluidas en la mandíbula y el maxilar. La elevada dureza de los dientes y la sólida estructura de la mandíbula es una combinación muy ventajosa que explica la alta frecuencia de estos elementos en el registro fósil de mamíferos.

Debido a lo expuesto anteriormente, se seleccionan aquellos fósiles que se conservan en mayor número. Así, cada mandíbula (con o sin dientes *insitu*) representa a un individuo. Puesto que los dientes se acomodan bien únicamente en su propio alveolo, procederemos en primer lugar a encajar el mayor número posible de piezas en los alveolos de los maxilares y mandíbulas disponibles. Muchos de los dientes aislados restantes pueden pertenecer a otros homínidos que trataremos de identificar. Cada ser humano presenta una serie de rasgos propios en su aparato dental. El tamaño, la forma, ciertas marcas producidas durante la formación de los dientes y aún el tipo y grado de desgaste pueden ser utilizados para identificar a un individuo. Siguiendo estos criterios podemos llegar a concluir que la muestra de fósiles humanos recuperados hasta el momento pertenece al menos a 27 seres humanos.

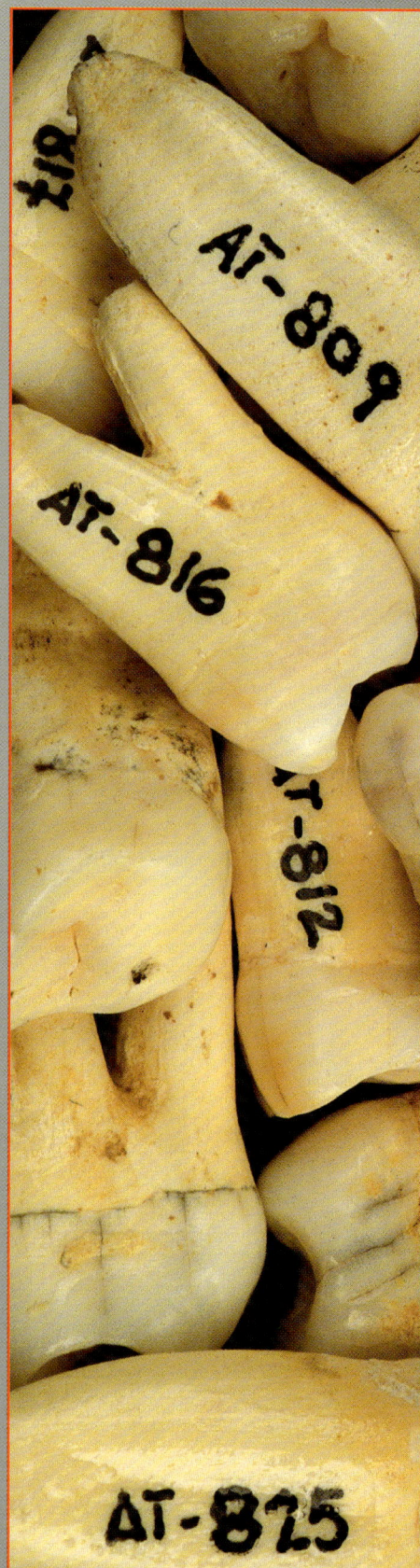

Teeth of *Homo heidelbergensis* from the Sima de los Huesos.
Dientes de *Homo heidelbergensis* de la Sima de los Huesos.

from the bones. The carrying out of this procedure, with nothing more than the hands and a few stone tools, unquestionably implies the consumption of the soft tissues by other human beings.

Among the varied forms of cannibalism on record, we can discard those which occurred in historic times (in the context of magic rituals, funeral ceremonies or clearly pathological cases) involving symbolic thought and a cultural background characteristic of modern populations. It seems more appropriate to consider reasons more in keeping with not only the kind of humanity which existed at the end of the Lower Pleistocene, but also the direct evidence from the TD6 assemblage. The Aurora stratum was deposited during a time of very favorable climatic conditions, according to both the pollen analysis and the composition of the large mammal remains recovered. The abundance and diversity of the species represented, would argue against the hypothesis that the hominids of TD6 were suffering from a severe resource shortage or famine, during which they would have been forced to consume other group members or loved ones to survive, known as survival cannibalism. The hypothesis which best fits the evidence, regardless of whether the archaeological and paleontological record from TD6 represents a very short, concrete moment in time or a longer period of occupation, is that the humans and other animals were consumed as a result of a planned and habitual behavioral strategy. We can't discard the possibility that the humans were found lifeless and brought back to camp to be consumed. In any case, this type of cannibalism is known as gastronomic cannibalism, in which human beings could form part of the diet under certain circumstances.

se elimina el periostio o restos de músculos de los huesos. Estas evidencias sugieren de manera muy clara que los cadáveres de animales y humanos fueron sometidos a un proceso similar de carnicería, que incluye el desmembramiento, extracción de músculos, evisceración, extracción del periostio y del tuétano de los huesos. La realización de este proceso, en el que se emplearon las manos y una gama de utensilios líticos, implica con toda seguridad el consumo de los tejidos blandos por otros seres humanos.

Entre las diversas formas de canibalismo registradas cabría descartar aquellas producidas en tiempos históricos (rituales mágicos, funerarios, patológicos, etc), que estarían relacionadas con un pensamiento simbólico y una cultura característica de las poblaciones modernas. Parece así más adecuado centrarse en aquellas razones más acordes no sólo con el tipo de poblaciones de finales del Pleistoceno inferior, sino con las propias evidencias del registro de TD6. La Capa Aurora de TD6 se depositó en un periodo de bonanza climática, según indican los datos polínicos y la composición de la comunidad de mamíferos. La abundancia y diversidad de especies representadas en la Capa Aurora, por otro lado, no favorece la hipótesis de que los homínidos sufrieran periodos de hambruna, en los que el consumo de sus allegados (canibalismo de supervivencia) se empleara como remedio para este problema. La hipótesis que más se ajusta a las evidencias, tanto si el registro arqueológico y paleontológico de la Capa Aurora representa un momento muy concreto y corto de tiempo, como si representa un largo periodo, es que los seres humanos y otros animales fueron comidos como resultado de una estrategia habitual y calculada de comportamiento. No se puede descartar que los seres humanos fueran encontrados sin vida y transportados hasta el campamento para ser devorados. En cualquier caso, este tipo de canibalismo se denomina gastronómico, en la que los seres humanos podían formar parte de la dieta en circunstancias determinadas.

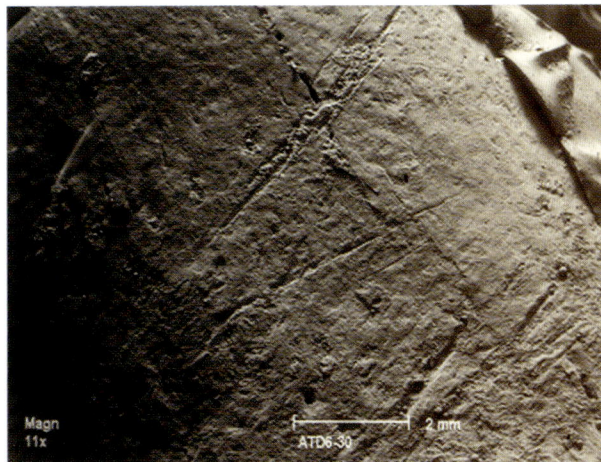

Cut marks seen through an electronic microscope.
Marcas de corte vistas al microscopio electrónico.

The Sima

The Sima de los Huesos is a small space where you can barely stand up. The paleontologists had to erect a wooden platform to avoid stepping on the sediment rich in fossils. The reduced space only allows one person to excavate at a time.

La Sima

La Sima de los Huesos es un pequeño espacio en el que apenas se puede estar de pie y en el que los paleontólogos han tenido que colocar una estructura de tablones para no pisar el sedimento repleto de fósiles. El reducido espacio sólo permite excavar a una persona.

The hominids from the Sima de los Huesos: *Homo heidelbergensis*

Los humanos de la Sima de los Huesos: *Homo heidelbergensis*

Human evolution in the Middle Pleistocene

The evolutionary process during the Middle Pleistocene eventually culminated in the human forms known to characterize the Upper Pleistocene: the Neandertals and modern humans, Homo sapiens. Some of the most burning questions in human evolutionary studies can be traced to this time period. Not long ago, a heated controversy surrounded the question of whether modern humans, Neandertals and Homo erectus were different phases of a single evolutionary continuum, or if, on the other hand, they represented different evolutionary lineages. At the basis of this controversy, the how, when and where of the origin of our own species were being debated.

The scarcity of the fossil record during this time period made it possible to defend diametrically opposed viewpoints with the same fossils. The main problem lay in the singular nature of most of the discoveries, which were also widely separated in time and space. Because of this, it wasn't possible to be sure what part of the anatomical variation between fossils was due to biological variability, to processes of somatic growth and development in the case of immature individuals or was a reflection of sexual dimorphism. To solve these problems, a large sample of biologically contemporaneous fossils including both men and women of varying ages was necessary. The sample of human fossils from the Sima de los Huesos is the only case known from the Lower and Middle Pleistocene that meets these conditions.

Evolución humana en el Pleistoceno medio

Durante el Pleistoceno medio tuvo lugar el proceso evolutivo que culminó con las formas humanas del Pleistoceno superior: la humanidad moderna y los neandertales. Algunas de las cuestiones más candentes de los estudios sobre evolución humana se encuadran en este período. Así, hasta hace poco tiempo existía una fuerte controversia sobre si la humanidad moderna, los Neandertales y *Homo erectus* eran distintas fases de un continuo evolutivo o si, por el contrario, correspondían a diferentes líneas evolutivas. En el fondo de esta polémica se discutía el cómo, el dónde y el cuándo del origen de nuestra propia especie. La precariedad del registro fósil en este período hacía posible que puntos de vista contrapuestos pudieran ser defendidos con los mismos fósiles. El principal problema radicaba en la singularidad de la mayor parte de los hallazgos, que además estaban muy separados en el tiempo y en el espacio. De este modo, no era posible acotar qué parte de la variación encontrada entre los fósiles debía ser atribuida a variabilidad biológica, cuál correspondía al desarrollo y cuál se debía a la expresión del dimorfismo sexual. La solución a este problema pasaba por disponer de una amplia muestra de fósiles biológicamente contemporáneos y que incluyera ejemplares de distintas edades y de ambos sexos. La muestra de fósiles humanos de la Sima de los Huesos es el único caso conocido para el Pleistoceno Inferior y Medio que reúne dichas condiciones.

Cranium of a child reconstructed from 114 fragments recovered during 10 years of excavation.

Cráneo de un niño formado a partir de 114 fragmentos recuperados a lo largo de 10 años de excavaciones.

With more than 3,500 pieces found to date, this giant, three-dimensional puzzle will take years to complete.

Con más 3.500 piezas encontradas hasta la fecha, este gigantesco puzzle tridimensional tardará años en ser completado.

History of the discoveries

As discussed previously, the first discoveries of human fossils came in 1976, during a short paleontological excavation campaign undertaken by members of the Grupo Espeleológico Edelweiss de Burgos, directed by a paleontologist who specialized in fossil bears, Trinidad Torres, when a human mandible was identified among hundreds of bear fossils. The association of the mandible with remains of the Middle Pleistocene bear species Ursus deningeri led Torres to realize the importance of the discovery, and he showed the specimen to Emiliano Aguirre, who recognized the archaic morphology of the fossil as characteristic of European Middle Pleistocene humans. In the following days, a detailed analysis of the fossils recovered in the excavation revealed the existence of several new human remains: several teeth, fragments of other mandibles and a piece of long bone and cranial fragment. Aware of the importance of the discovery, Aguirre organized an interdisciplinary team with the aim of excavating and studying the series of Pleistocene sites in the Sierra de Atapuerca. Obviously, the site that stirred the most interest was the Sima de los Huesos, where the human fossils had appeared.

Nevertheless, the Sima combined several special characteristics and conditions that made its excavation very difficult. For decades, this site had been frequently visited by amateurs who dug around in the uppermost levels of the deposit in the search for bear fossils. These activities broke and mixed up many human and bear bones. Other factors which added to the difficulty of excavation were the great distance from the mouth of the Cueva Mayor, more than half a kilometer from the site, as well as the rarefied air deep inside the cave. For these reasons,

Historia de los descubrimientos

Como ya está dicho en otro lugar, los primeros hallazgos de fósiles humanos se produjeron en el año 1976, en el transcurso de una corta campaña de excavación paleontológica realizada por miembros del burgalés Grupo de Espeleología Edelweiss, dirigida por el paleontólogo especialista en úrsidos fósiles, Trinidad Torres. Entre cientos de fósiles de oso los espeleólogos identificaron una mandíbula humana, cuya asociación con los restos de la especie de oso del Pleistoceno medio Ursus deningeri hizo sospechar a Torres de su gran importancia. Torres mostró la mandíbula a Emiliano Aguirre, quien reconoció en ella una morfología muy arcaica, correspondiente a la humanidad que pobló Europa durante el Pleistoceno medio. En días posteriores, un examen más detallado de los fósiles recuperados en la excavación reveló la existencia de algunos restos humanos nuevos: algunos dientes, fragmentos de otras mandíbulas y algún fragmento de huesos largos y neurocráneo. Consciente de la importancia del hallazgo, Aguirre organizó un equipo interdisciplinar cuyo objetivo era el de excavar y estudiar el conjunto de yacimientos pleistocenos de la Sierra de Atapuerca. Evidentemente, el yacimiento que centraba el máximo interés era la Sima de los Huesos, de donde procedían los fósiles humanos.

Ahora bien, la Sima de los Huesos reunía unas condiciones especiales que dificultaban enormemente la excavación. Durante décadas este lugar había sido visitado frecuentemente por aficionados, que removieron los niveles superiores del depósito a la búsqueda de fósiles de oso. Estas actividades rompieron y mezclaron numerosos huesos de oso y humanos. Otros factores que dificultaban grandemente la excavación eran la gran distancia del yacimiento a la actual entrada del sistema kárstico de Cueva Mayor, a más de seiscientos metros del yacimiento, así como el enrarecido aire del mismo. Estas razones hicieron que la excavación sistemática en este yacimiento no pudiera comenzar hasta

Photo: M.B.

systematic excavation of the site wasn't begun until 1984, although the year before, a prospection at the site yielded a couple of human teeth.

In the course of eight field seasons, from 1984-1991, the work in the Sima de los Huesos consisted of removing, without the benefit of machinery of any kind, nearly seven tons of limestone blocks as well as several more of sediments, which were washed, screened and meticulously searched for new fragments of human fossils. The total number of human fossils discovered this way reached 389. To this total, we have to add 54 more fossils, equally fragmentary, which were recovered in a small section of the site where the undisturbed sediments were exposed during the first field season. Obviously, the excavation of the in situ levels was and is conducted with the greatest caution, scrupulously following the archaeological method.

During the 1991 field season, the last of the disturbed sediments were removed. Since then, excavation of the remaining in situ levels has yielded more than 3,500 human fossils. Among these, the three crania discovered in 1992 stand out: Cranium 4 (a calotte referred to as Agamemnon in honor of the King of the Achaeans, conquerors of the city of Troy), Cranium 5 (referred to as Miguelón, for the king of the Tour de France, the cyclist Miguel Indurain) and Cranium 6 (a fairly complete cranium corresponding to an adolescent individual). The discovery of a complete pelvis in 1994, Pelvis 1 (referred to as Elvis, in honor of the King of Rock n' Roll), also stands out. Even today, we still don't know the limits of the fossil-bearing deposits. The evidence suggests, however, that at most only a third of the site has been excavated, which means there is every reason to believe that the discovery of new human fossils will continue for many years to come.

la campaña de 1984, aunque antes, en 1983, se había realizado un muestreo que había proporcionado un par de dientes humanos fósiles. A lo largo de ocho campañas de excavación, desde 1984 hasta 1991, el trabajo en la Sima de los Huesos consistió en desalojar, sin ayuda de medios mecánicos, cerca de siete toneladas de bloques de roca caliza y otras tantas de sedimentos, que fueron lavadas, tamizadas y triadas a la búsqueda de nuevos fragmentos de fósiles humanos. El total de fósiles humanos hallados de esta manera ascendió a 389. A ellos había que añadir otros 54 fósiles, igualmente fragmentarios, recuperados en un pequeño sector del yacimiento en el que los niveles no alterados fueron expuestos en la primera campaña de excavación. Evidentemente, la excavación de los niveles intactos se realizó, y se realiza con el mayor cuidado, siguiendo escrupulosamente el método arqueológico.

Como queda dicho, el yacimiento quedó expedito de sedimentos alterados durante la campaña de 1991. Desde entonces se interviene en niveles *in situ*, en los que se han rescatado más de 3.500 fósiles humanos. Entre ellos destacan los tres cráneos hallados en 1992: el Cráneo 4 (una calota nombrada Agamenón, en honor al Rey de los Aqueos conquistadores de la ciudad de Troya), el Cráneo 5 (se trata del cráneo mejor conservado del registro fósil de los homínidos, que fue nombrado como Miguelón en honor del Rey del Tour de Francia, el ciclista Miguel Indurain) y el Cráneo 6 (un cráneo bastante completo correspondiente a un individuo adolescente). También merece ser destacado el hallazgo de una pelvis muy completa, rescatada en 1994 (se trata de la Pelvis 1, nombrada como Elvis, en honor al Rey del Rock´n´Roll).

A día de hoy, aún no conocemos los límites del depósito de fósiles humanos, pero todas las evidencias apuntan a que todavía no se ha excavado más allá de un tercio de dicho depósito, por lo que es esperable que los hallazgos de fósiles humanos continúen durante muchos años.

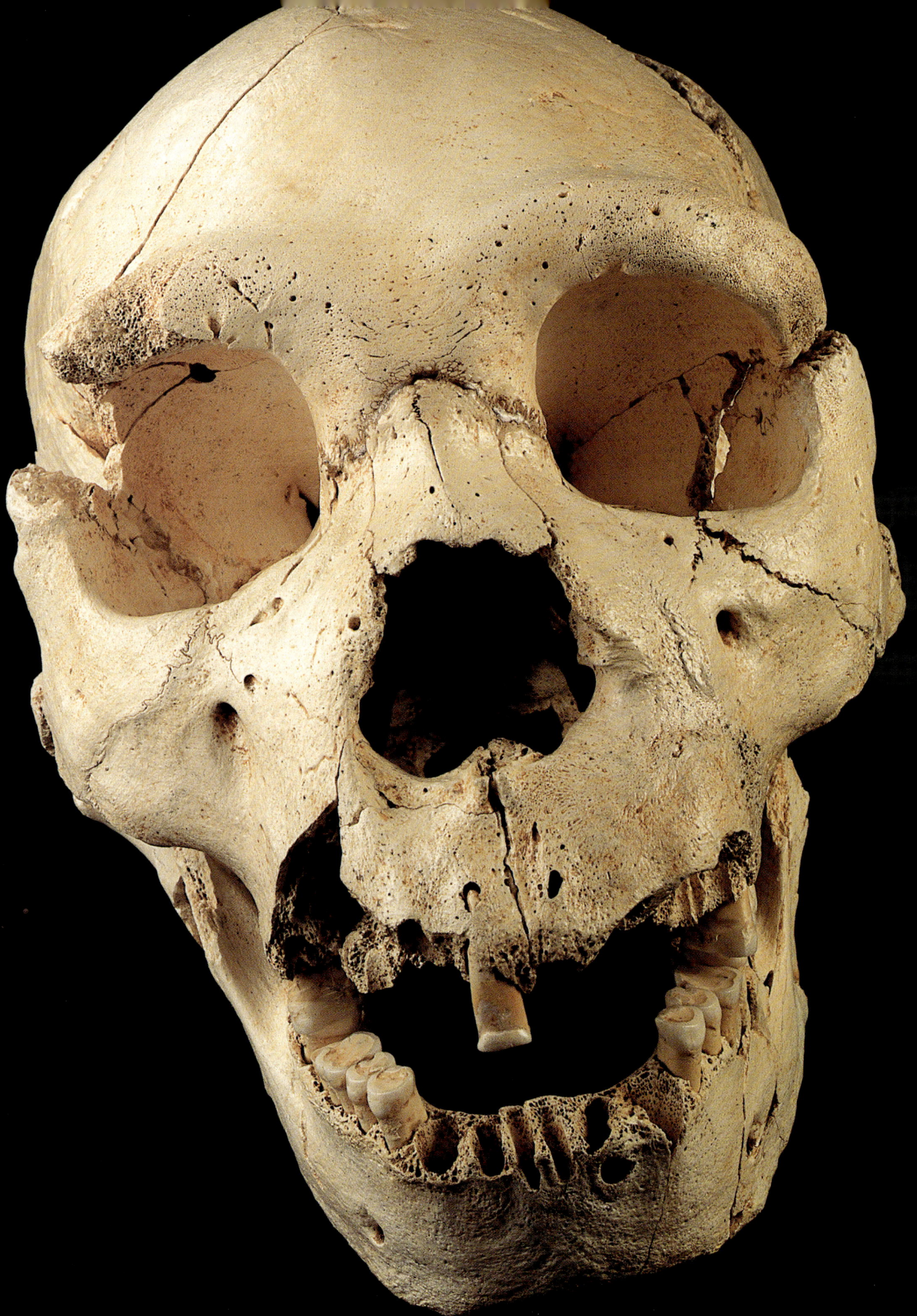

kull5

Skull 5

With an age of 400,000 years, Skull 5 belongs to the species Homo heidelbergensis, *which in Europe later evolved into the Neandertals. It has a brain size of around 1,100 cm3, the smallest in the European Middle Pleistocene, and is the most complete and best-preserved cranium in the human fossil record.*

Cráneo 5

Con una antigüedad de 400.000 años, el Cráneo 5 pertenece a la especie *Homo heidelbergensis* que en Europa evolucionó para dar lugar a los neandertales mucho tiempo después. Tiene una capacidad alrededor de 1.100 centímetros cúbicos, la más pequeña del Pleistoceno Medio europeo. Es el cráneo más completo y mejor conservado del registro fósil mundial.

Pleistocene fauna in the Sima de los Huesos

In addition to the most remarkable accumulation of human fossils ever found, the Sima de los Huesos has yielded abundant carnivore remains. However, to date not a single herbivore fossil has been recovered. The carnivore assemblage which accompanies the human remains is mainly composed of an extinct species of bear. A minimum of 167 individuals of Ursus deningeri, the ancestor of the also extinct cave bear, has been recognized. Other carnivores are also represented in lower numbers, including three individuals of lion (Panthera leo), another undetermined large felid (Panthera sp.), a primitive form of the Iberian lynx (Lynx pardina spelaea), wildcat (Felis sylvestris), wolf (Canis lupus), 26 individuals of fox (Vulpes vulpes) and remains of several mustelids.

Origin of the accumulation

One difficult question to answer is the origin of this accumulation of human fossils in the Sima de los Huesos. Not a single herbivore bone has been found at the site, and although the human remains present an occasional tooth mark (which we interpret as the result of bears which, as we will see shortly, fell down into the Sima and were alive for a brief period at the site) there are no signs they were eaten by predators, which rules out a carnivore den. At the same time, there are hardly any cubs among the carnivore species found in the Sima, only eight bear cubs among more than 167 adult bears. The 26 foxes are also all adults, as is the case with the remaining species, with the exception of an immature lion that could have been around 10 months old. So it's difficult to interpret the site as a birthing place for these animals, since the proportion of very young individuals would have to be much higher.

In our opinion, the accumulation of bear remains is due to the Sima acting as a natural trap for these animals during periods of hibernation. This is a relatively common phenomenon and accumulations of living brown bears (Ursus arctos) as well as cave bears (Ursus spelaeus) are known to have occurred at the bottom of pits. The presence of other carnivores can be similarly explained. It isn't difficult to imagine that the stench of carrion from fallen bears could have attracted other carnivores, some of which accidentally fell into this natural trap. Nevertheless, the explanation for the accumulation of human remains at the site is more problematic. In the first place, the analysis of skeletal part representation carried out on the collection of human fossils indicates that all parts of the skeleton are represented, which demonstrates that the original accumulation consisted of cadavers and not isolated bones. At the same time, the complete absence of prey species and stone tools indicates that this was not a human occupation site.

In our opinion, the evidence clearly points to an anthropic (human) origin for the accumulation of the human remains, having been deposited in the Sima by other humans. In this context, the discovery of a stone tool during the 1998 field season, the only discovery of its kind during 19 field seasons and among literally thousands of human and animal fossils, is particularly relevant. The piece in question is a handaxe, the most emblematic stone tool of the Acheulean industry. This handaxe, referred to as Excalibur in honor of the magical sword of King Arthur, is one of only a few found to date in any of the sites in the Sierra de Atapuerca, in which this type of artifact is very rare. Further, the singular

Fauna fósil en la Sima de los Huesos

Además de la más extraordinaria acumulación de fósiles humanos jamás hallada en parte alguna, en la Sima de los Huesos se han encontrado numerosos restos fósiles de animales, todos ellos correspondientes a carnívoros, sin que se haya encontrado, hasta la fecha un solo fósil de herbívoro. La asociación de carnívoros que acompaña a los restos humanos, está compuesta en su mayoría por una especie extinguida de oso (se han reconocido un número mínimo de 167 ejemplares de *Ursus deningeri*, el antecesor del también extinguido oso de las cavernas), león (se han identificado tres individuos de la especie *Panthera leo*) y otro félido de gran talla (*Panthera sp.*), una forma primitiva de lince ibérico (*Lynx pardina spelaea*), gato montés (*Felis silvestris*), lobo (*Canis lupus*), zorro (*Vulpes vulpes*, habiéndose identificado los restos de, al menos, 26 individuos de esta especie), así como restos de varios mustélidos.

Origen de la acumulación

Un problema de difícil solución lo constituye el conocer el origen de esta acumulación de fósiles humanos en la Sima de los Huesos. En el yacimiento no aparece ningún fósil de herbívoro y aunque los huesos humanos presentan marcas de dientes ocasionalmente (que atribuimos a la actividad de los osos que, como veremos en seguida, se despeñaron por la sima y que llegaron vivos hasta el yacimiento) no hay señales de que fueran devorados por los depredadores, lo que descarta que se trate del cubil de un carnívoro. Por otra parte, apenas hay cachorros de las especies de carnívoros que se encuentran en la sima, tan sólo 8 oseznos de entre más de 167 osos adultos. Los 26 zorros también son adultos, así como el resto de los taxones, con la excepción de un león inmaduro que podría tener alrededor de 10 meses. Así que no podemos interpretar su presencia allí como un lugar de alumbramiento para estos animales, donde la proporción de individuos muy jóvenes tendría que ser muy elevada.

A nuestro juicio, la acumulación de los restos de los osos se debió a que la sima actuó como una trampa natural para estos animales durante los periodos de hibernación. Este es un fenómeno relativamente frecuente y se conocen ejemplos de acumulaciones de osos pardos actuales (*Ursus arctos*) y de osos de las cavernas (*Ursus spelaeus*) al pie de simas. La presencia de otros carnívoros también admite una explicación similar: no es difícil de imaginar que el olor de la carroña de los osos caídos a la sima pudiera atraer a otros carnívoros, algunos de los cuales cayeron accidentalmente al interior de esta trampa natural.

Sin embargo, la explicación de la acumulación de restos humanos en este yacimiento es más problemática. En primer lugar, los análisis de representación de partes esqueléticas realizados sobre la colección de fósiles humanos indican que se encuentran representadas todas las regiones esqueleto, lo que significa que la acumulación original consistía en cadáveres y no en huesos aislados. Por otra parte, la ausencia total de presas y de industria lítica (ver más adelante) indica que tampoco se trata de un lugar habitual de ocupación humana.

A nuestro juicio, estos datos apuntan claramente hacia un origen antrópico para la acumulación de restos humanos. En este contexto, es especialmente relevante el hallazgo, acaecido en la campaña de excavación de 1998, de una pieza de industria lítica, el único

To get to the sima, you have to descend a 13-meter-deep vertical shaft.

Para bajar a la sima hace falta descender por un conducto vertical de trece metros de profundidad.

Today we go down to the sima by the same shaft used by Pleistocene humans to deposit their dead.

Hoy bajamos a la sima por el mismo conducto por el que aquellos hombres arrojaron a sus muertos.

Through time, more than 160 bears fell down into this natural trap.

A lo largo del tiempo más de 160 osos cayeron en esta trampa natural.

nature of this discovery is underscored by the fact that it was made of a type of stone which is also rare in the other Atapuerca sites: red quartzite.

If future discoveries and research strengthen our hypothesis on the intentional origin for the accumulation of the human cadavers in the Sima de los Huesos, we would be witnessing one of the most important discoveries made in Atapuerca: the oldest evidence of funerary practice, and hence symbolic thought, in the history of humankind.

Morphological characteristics of the Sima de los Huesos human fossils

To date, the collection of human fossils from the Sima de los Huesos includes fourteen skulls, in different states of preservation. Among them, the most complete are the three crania discovered in the 1992 field season: Cranium 4, 5 and 6. To measure the brain size of the two adult specimens from the Sima de los Huesos, we used three different methods. First, we directly measured the volume of millet seeds needed to fill their braincases. The values obtained were 1,390 cm^3 for Cranium 4 and 1,125 cm^3 in the case of Cranium 5. Second, we took computed axial tomography (CAT) scans, every millimeter, of crania 4 and 5. These CAT scans were then analyzed in the computer and provided values of 1,370 cm^3 for Cranium 4 and 1,091 cm^3 for Cranium 5. Finally, based on computer-generated three-dimensional reconstructions of the skull from the CAT scans, we constructed a highly precise plastic/resin model of Cranium 5. From this, we made a mold of the inside of the braincase whose volume was measured twice by water displacement, providing values of 1,080 cm^3 and 1,090 cm^3, respectively.

Based on these results, we can assign Cranium 5 a brain volume of around 1,100 cm^3, a value which is among the smallest in the African and European Middle Pleistocene fossil record. Asian fossils attributed to Homo erectus generally have smaller values, with the exception of the Ngandong sample, which could date to the Upper Pleistocene. At the same time Cranium 4 has a brain volume of around 1,390 cm^3, which places it among the largest in the global fossil record for this time period. Cranium 6, somewhat less complete and belonging to an adolescent individual of some 14 years of age, would probably have an intermediate brain size. The value obtained from the volume of millet seed necessary to fill the braincase in this skull is 1,220 cm^3.

From what we have just seen, it doesn't seem to make much sense to use the brain size in isolated fossils as a taxonomic criterion, in other words, to identify different species, among African and European Middle Pleistocene fossils. We can, however, say that the range of brain sizes in the human population represented in the Sima de los Huesos is clearly larger than those of Homo erectus and Homo ergaster.

The bones of the skull, especially the walls of the braincase, are thick in the Sima de los Huesos crania. Sagittal prominences are always present but variably developed on the frontal and parietal bones, but not at bregma or along the coronal suture. Cranium 4 shows an angular torus in the rear of the parietal bone, while this structure is weaker in Cranium 5 and absent in the rest of the sample. These sagittal and angular thickenings of the bone are primitive characteristics not found in Neandertals. Among other European Middle Pleistocene fossils, an angular torus is found on Arago 47 (France), but is absent on the specimens from Petralona (Greece), Steinheim (Germany) and Swanscombe (England).

descubrimiento de esta índole realizado a lo largo de 19 campañas de excavación, entre decenas de miles de fósiles de fauna y humanos. Se trata de un hacha de piedra, el elemento más emblemático del complejo tecnocultural achelense. Este bifaz (nombrado como Excalibur en recuerdo de la espada mágica del Rey Arturo), es uno de los pocos recuperados hasta la fecha en cualquiera de los yacimientos de la Sierra de Atapuerca, en los que este tipo de artefactos son muy poco frecuentes. Además, subraya la naturaleza singular de este hallazgo el hecho de que esté labrado sobre un tipo de roca también muy poco común en los yacimientos de Atapuerca: una cuarcita de color rojo. Si los descubrimientos e investigaciones futuras contribuyen a fortalecer nuestra hipótesis sobre el origen intencional de la acumulación de cadáveres humanos en la Sima de los Huesos, estaríamos en presencia de uno de los mayores descubrimientos realizados en Atapuerca: el más antiguo testimonio de un comportamiento funerario, y por tanto simbólico, de la historia de la humanidad.

Características morfológicas de los fósiles humanos de la Sima de los Huesos

Hasta la fecha, se cuenta en la colección de fósiles humanos de la Sima de los Huesos con catorce cráneos, en distintos estados de reconstrucción. Entre ellos los más completos son los tres cráneos hallados en la campaña de 1992: el Cráneo 4, el Cráneo 5 y el Cráneo 6. Para medir los volúmenes endocraneales de los dos ejemplares adultos de la Sima de los Huesos hemos empleado tres técnicas diferentes. En primer lugar, una medición directa obtenida registrando el volumen de semillas de mijo necesario para rellenar las cavidades endocraneales de los tres cráneos. Los valores obtenidos fueron de 1.390 cc, para el Cráneo 4 y de 1.125 cc en el caso del Cráneo 5. En segundo lugar hemos realizado tomografías axiales computerizadas, cada milímetro, de los cráneos 4 y 5. Estas tomografías fueron tratadas informáticamente, obteniéndose un valor de volumen endocraneal de 1.370 cc para el Craneo 4 y de 1.091 cc en el caso del Cráneo 5. Finalmente, a partir de la reconstrucción tridimensional de las imágenes tomográficas hemos generado, mediante la técnica denominada estereolitografía, un modelo plástico del Cráneo 5 a partir del cual obtuvimos un molde endocraneal cuyo volumen medimos por inmersión en dos ocasiones, arrojando valores de 1.080 cc y 1090 cc, respectivamente.

A partir de estos resultados, podemos asignar al Cráneo 5 un volumen encefálico de alrededor de 1.100 cc, valor que se encuentra entre los más bajos del registro europeo y africano del Pleistoceno medio, si bien los fósiles asiáticos atribuidos a Homo erectus (Dubois 1892) muestran en general capacidades inferiores, con excepción de la muestra de Ngandong (que por otro lado tal vez pertenezca al Pleistoceno superior). Por su parte, el Cráneo 4 presenta una capacidad de alrededor de 1.390 cc, que se alinea entre las mayores del registro fósil mundial para este período. El Cráneo 6, no tan completo y correspondiente a un adolescente de unos 14 años, probablemente tendría un volumen encefálico intermedio (el valor obtenido al medir el volumen de semillas de mijo necesario para rellenar la cavidad endocraneal del Cráneo 6 es de 1.220 cc).

No parece, a la vista de lo observado en la muestra de la Sima de los Huesos, que tenga mucho sentido utilizar la capacidad craneal de

In the Sima de los Huesos sample, the maximum cranial breadth is located in a low position, at the level of the supramastoid crests, or just slightly above the ear canals. Above this level, the cranial walls, when viewed from behind, run vertically and are slightly convergent superiorly. This morphology is also found in other Middle Pleistocene European fossils from Petralona, Swanscombe, Reilingen (Germany) and Steinheim. This condition is evolutionarily intermediate between: 1) the primitive condition of a low pentagonal profile and 2) the rounded profile which characterizes the Neandertals or 3) the high pentagonal profile seen in modern populations.

When viewed from the side, it can be seen that the upper margin of the temporal squama is high and arched. This is a trait which is shared by Homo antecessor, African and European Middle Pleistocene fossils, the Neandertals and modern humans, and which distinguishes these populations from the Homo erectus lineage.

Continuing in side view, the Sima de los Huesos crania show a more rounded posterior cranial profile than in the "classic" Neandertals. Neandertal skulls are typically elongated in the rear, with a flattened area in the region of lambda, the point where the two parietal bones join with the occipital bone. Below this, the occipital plane shows what is known as an "occipital bun", a large protuberance produced by the projection of the occipital bone characteristic of the Neandertals. In crania 4 and 5 from Atapuerca, a certain convexity can be appreciated in the occipital plane, which, while not as marked as in the Neandertals, is more convex than in Homo erectus.

In the occipital bones (in the rear of the skull) of the Sima hominids, the morphology of the occipital torus stands out. This structure is a raised bar of bone which is straight when viewed from any angle and is most strongly developed in the center of the occipital bone. In the Sima skulls, it doesn't extend laterally almost to the temporal bone, or even further, as in Homo erectus. Among Neandertals, the torus is also centrally developed, but is depressed in the middle portion and shows two lateral projections. Further, just above the torus the Neandertals present a small depression in the bone with an irregular surface, known as a "suprainiac fossa". This is one of the most characteristic Neandertal features of the skeleton. In the Sima de los Huesos occipital bones, just above the torus is an oval-shaped region with a rough and porous surface which is sometimes flat but is never clearly depressed. This morphology is interpreted as an incipient stage in the evolution of the suprainiac fossa, which became more accentuated in the Neandertals. On the skull base, it should be mentioned that crania 4, 5 and 6 from the Sima don't show the elongated foramen magnum, the hole where the spinal chord leaves the skull, which apparently characterizes Neandertal infants and adults.

The supraorbital torus, or browridge, in the Sima sample is always double-arched, unlike the morphology seen in Homo erectus. The supraorbital torus in this species is straight when viewed from any angle, clearly situated in front of and separated from the frontal squama (the forehead) and defining a more or less triangular-shaped surface between the trigone and the temporal lines. On the other hand, in the Sima frontal bones there are different degrees of fusion and continuity of the supraorbital torus at the midline of the browridge. Further, the torus also appears twisted in some specimens, so that the part closer to the midline of the skull faces forward and the lateral parts face more

fósiles aislados como criterio taxonómico para el Pleistoceno medio de Europa y África. Si bien puede decirse que la población de la Sima de los Huesos presenta un rango de capacidades craneales claramente por encima de los respectivos de Homo erectus y Homo ergaster. Las paredes craneales son gruesas en la Sima de los Huesos, existen siempre prominencias sagitales (tanto frontales como parietales) más o menos desarrolladas, aunque no bregmáticas o coronales, y se observa un toro angular en el Cráneo 4, muy atenuado en el Cráneo 5 y ausente en el resto de la muestra. Estos engrosamientos sagitales y angulares son rasgos primitivos que no se encuentran entre los neandertales. Arago 47 tiene toro angular, pero no Petralona, Steinheim o Swanscombe. En la muestra de la Sima de los Huesos, la máxima anchura neurocraneal se sitúa en posición baja, a nivel de las crestas supramastoideas. Por encima de ellas, las paredes craneales se disponen, en norma posterior, verticales o ligeramente convergentes hacia arriba. Esta morfología también se encuentra en otros fósiles europeos del Pleistoceno medio como Petralona, Swanscombe, Reilingen y Steinheim, y es intermedia entre: i) la condición primitiva de perfil pentagonal bajo y, ii) el perfil redondeado que caracteriza a los neandertales o, iii) el perfil pentagonal elevado de las poblaciones modernas.

En norma lateral, se observa que el borde superior de la escama del temporal es alto y su trazado es típicamente arqueado. Este es un rasgo compartido por los fósiles de la Sima de los Huesos con los ejemplares del Pleistoceno medio de Europa y África, los neandertales y las poblaciones humanas modernas, y que distingue a estas poblaciones de la estirpe de Homo erectus.

Siguiendo con la vista lateral, es destacable que los cráneos de la Sima de los Huesos presentan un perfil posterior más redondeado que en los neandertales "clásicos", donde el cráneo se alarga de una manera característica, con un aplanamiento lambdático y proyección del plano occipital, dando lugar a una protuberancia (o "moño"), caracter diagnóstico de los neandertales. En los cráneos 4 y 5 de Atapuerca se aprecia una cierta convexidad del plano occipital, que aunque no tan marcada como en los neandertales, es superior a la de Homo erectus. En los occipitales de los humanos de la Sima de los Huesos destaca la morfología del torus occipital, que es recto en todas las normas y de desarrollo central en el hueso (no se extiende como tal lateralmente hasta el asterion o incluso más allá como en Homo erectus). Entre los neandertales, el torus también es de desarrollo central pero está deprimido en su parte media y presenta dos salidas o proyecciones laterales. Además, por encima del torus los neandertales presentan una región deprimida y de superficie irregular, que se denomina fosa suprainíaca. En la Sima de los Huesos, sobre el torus se observa una región ovalada de superficie desigual, porosa o rugosa, que puede ser plana pero que nunca se encuentra claramente deprimida. Esta morfología de los fósiles de la Sima de los Huesos es interpretada como el estado incipiente a partir del cual se acentuó la morfología característica de los neandertales.

En la región basioccipital, cabe destacar que los cráneos 4, 5 y 6 de la Sima de los Huesos no presentan el foramen magnum extremadamente alargado que caracteriza a los neandertales infantiles y adultos. En la muestra de la Sima de los Huesos, el torus supraorbitario siempre presenta una forma de doble arco, en vez del característico torus de Homo erectus: recto en todas las normas, situado claramente por

Elvis

Pelvis

The most complete pelvis in the human fossil record has been found in the Sima de los Huesos, nicknamed "Elvis" by its discoverers. This specimen and many other pelvic remains can provide us with information on several interesting aspects of the birth process. Even though it represents a male individual, the pelvic canal in this specimen was larger than in living females, and giving birth was undoubtedly easier for women back then.

En la Sima de los Huesos se descubrió la pelvis más completa del registro fósil mundial a la que los investigadores denominaron "Elvis". A partir de este y otros muchos restos pélvicos podemos conocer aspectos muy interesantes sobre la fisiología del parto.
La cavidad pélvica de esta cadera, pese a ser masculina, era más grande que la de una mujer actual. Sin duda el parto sería más fácil para las mujeres de entonces.

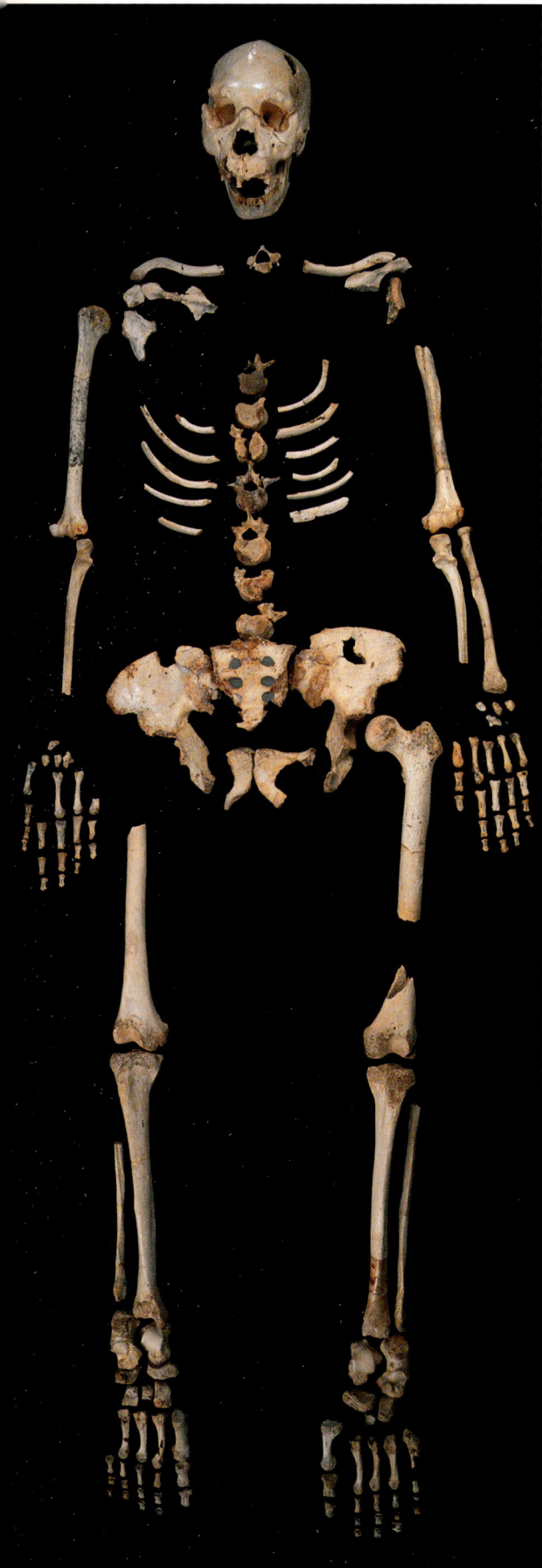

Every part of the skeleton is represented in the fantastic collection from the Sima de los Huesos.

Todas las partes esqueléticas están representadas en la fantástica colección de la Sima de los Huesos.

◀

▲

The ear canals in Cranium 4 are obstructed, and this is the oldest known deaf individual. The brain size is 1,390 cm³, the largest in the European Middle Pleistocene.

El Cráneo 4 es el sordo más antiguo conocido. Sus conductos auditivos están obstruidos. La capacidad craneana es de 1.390 cm³, la mayor del Pleistoceno medio europeo.

upwards. Thus, as a group, the Sima fossils are close to the Neandertal morphology, although some individuals also approximate the morphology seen in other Middle Pleistocene specimens, such as Arago 21, Bodo, Broken Hill and Petralona. Finally, as in the Neandertals, nasion is not depressed.

The facial skeleton of Cranium 5 is large in relation to the braincase, more so than is the case among the Neandertals, and this undoubtedly primitive characteristic is not as marked in Petralona. Cranium 5 also shows a stronger facial prognathism than seen in the Neandertals. It is interesting to note that in both of these characteristics Saccopastore 1 (Italy) is the Neandertal which is anatomically closest to the Atapuerca cranium.

At the same time, Cranium 5 shows a series of characteristics associated with what is known in the Neandertals as midfacial prognathism, or projection of the middle part of the face, the nasal region. For example, wide nasal bones oriented fairly horizontally, an anterior position of both the anatomical point subspinale (at the base of the nose) and the tooth row relative to the zygomatic bone and, in the mandibles, the presence of a retromolar space.

In Neandertals, the infraorbital plate is convex or completely flat, with no canine fossa, and is oriented between the sagittal and coronal planes. The coronal orientation (toward the front) is the primitive condition and is also found in modern humans. The lower margin of the infraorbital plate (the zygomatico-alveolar crest) is straight and runs obliquely. In Cranium 5, the infraorbital surface is smoothly concave in horizontal section, and the lower border is curved, rather than straight.

The Neandertal morphological pattern, then, is not completely developed in Cranium 5. Although this specimen doesn't have a canine fossa, this structure does exist in the more fragmentary fossil AT-404, also from the Sima. The Middle Pleistocene skull from Steinheim shows a markedly flexed maxilla, even though this structure could be somewhat exaggerated due to artificial deformation of the fossil after it was buried. At the same time, the Petralona skull is more Neandertal-like than Cranium 5, as is the deformed face of Arago 21. That is, there is variation in the European Middle Pleistocene sample, and even within the Sima de los Huesos, in the midfacial anatomy, with some specimens more derived (i.e. Neandertal-like) than others.

Another typical characteristic of the facial skeleton in Cranium 5 is the presence of a very wide opening for the nasal cavity, both in absolute and relative terms. Neandertals generally have wide nasal openings, although they aren't the only ones, with the African Middle Pleistocene skull from Bodo having the widest of all. Finally, the morphology of the lower nasal margin is derived in Neandertals, and while Arago 21 also seems to show the Neandertal condition, the fossils from the Sima show the primitive condition.

As a whole, the temporal bones from the Sima de los Huesos lack the specializations which characterize the Homo erectus evolutionary

delante y separado de la escama frontal, definiendo una superficie triangular más o menos horizontal entre el trígono y la línea temporal. Por otra parte, en los frontales de la Sima de los Huesos hay diferentes grados de fusión y continuidad del torus supraorbitario a nivel de la glabela, así como de "torsión" de dicho torus (es decir, parte superciliar orientada anteriormente y regiones orbicular y trígono orientadas superiormente), de forma que en conjunto los fósiles de la sima están cerca de la morfología neandertal, aunque algunos se aproximan a morfologías de otros fósiles mesopleistocenos como Arago 21, Bodo, Broken Hill y Petralona. Además, como entre los neandertales, el nasio no está deprimido.

El esqueleto facial del Cráneo 5 resulta muy grande en relación con su neurocráneo, más que entre los neandertales, un rasgo sin duda primitivo que no se encuentra tan marcado en el caso de Petralona. El Cráneo 5 presenta también un prognatismo facial más acusado que en los neandertales. Es interesante señalar que en ambos rasgos, tamaño facial y prognatismo, Saccopastore 1 es el neandertal más próximo al cráneo de Atapuerca.

Por otra parte, el Cráneo 5 presenta una serie de rasgos asociados a lo que se denomina en los neandertales prognatismo mediofacial, o proyección de la parte media de la cara o de la región nasal. Por ejemplo, huesos nasales anchos y en posición bastante horizontal, una situación avanzada del punto subespinal y de la serie dental respecto del punto zigomaxilar, y en las mandíbulas existencia del espacio retromolar.

En los neandertales la placa o superficie infraorbitaria es convexa o totalmente plana, sin fosa canina (entendida como una depresión generalizada en la superficie infraorbitaria), orientada a mitad de camino entre sagital y coronal (la orientación coronal es la primitiva y también se encuentra entre los humanos modernos), y su borde inferior (cresta zigomáticoalveolar) es recto y oblicuo en vista anterior. En el Cráneo 5, la superficie infraorbitaria es suavemente cóncava (en secciones horizontales), y su borde inferior curvado, y no recto. Es decir, que el patrón morfológico neandertal no está totalmente desarrollado en el Cráneo 5. Aunque el Cráneo 5 carece de fosa canina, ésta existe en el más fragmentario fósil de la Sima de los Huesos AT-404. Steinheim presenta una marcada flexión maxilar (en sección horizontal), a pesar de su posible exageración postmortem, mientras que la morfología de Petralona es más neandertal que en el Cráneo 5, y ese parece también el caso de la muy deformada cara de Arago 21. Es decir, que hay variabilidad en la muestra del Pleistoceno medio europeo e incluso dentro de la Sima de los Huesos en la morfología de la cara media, con unos fósiles más derivados (en sentido neandertal) que otros.

Otro rasgo característico del esqueleto facial del Cráneo 5 lo constituye la presencia de una muy amplia abertura nasal, en términos absolutos y relativos. Los neandertales tienen generalmente grandes aberturas

On July 19, 1992 Juan Luis Arsuaga and the team celebrate the removal of Cranium 4.

El 19 de julio de 1992 Juan Luis Arsuaga y su equipo celebran la salida del Cráneo 4.

The largest accumulation of human fossils discovered to date. Crania 4 and 5 together with hundreds of fossils in a small quadrant which measures 50x50 cm.

La mayor acumulación de fósiles humanos descubierta hasta la fecha. Cráneos 4 y 5 junto a centenares de fósiles en un pequeño cuadro de 50x50 cm.

lineage, including the great thickness of the tympanic bone, the extreme reduction of the postglenoid process (which is highly developed in the Sima specimens) and the absence of fusion of the styloid process to the base of the skull (which appears fused in all the Sima specimens which preserve this region).

At the same time, the Sima temporal bones don't show some of the derived characteristics of the Neandertal population. Thus, no specimen from the Sima shows an anterior mastoid tubercle in the antero-lateral region of the mastoid process. In Neandertals, the mastoid process, the inferior projection of bone just behind the ear canal, doesn't project as much from the skull base. In the adult specimens from the Sima de los Huesos, the mastoid process is well-developed, both in size and projection, while in the immature individuals it is much less developed and doesn't project beyond the occipitomastoid region. This pattern of development is the same as that found in modern human populations, while the "classic" Neandertals are characterized by adults with little mastoid process projection, which doesn't normally surpass the adjacent occipitomastoid region. The mastoid morphology of the Neandertals, then, can be explained as the retention of a juvenile characteristic, similar to what was suggested previously for the facial anatomy of Homo antecessor.

The anterior wall of the glenoid cavity, the jaw joint just in front of the ear canal, in the temporal bones of the Sima de los Huesos is inclined forward, which is a derived characteristic of the Neandertals as well as other European Middle Pleistocene fossils, such as Steinheim, Petralona and Bilzingsleben.

The most conspicuous characteristic in the dental sample from the Sima de los Huesos is the ratio of the size between the anterior teeth (in which we include the incisors, the canine and the first premolar) and the posterior teeth (which includes the second premolar and all three molars), which shows an extreme value when compared to the variation seen among other hominids. While the anterior dentition in the Sima sample is comparable in size to other European Middle Pleistocene and Neandertal populations, the posterior dentition is markedly smaller, nearly identical in size to living populations. This dramatic reduction in the posterior segment of the tooth row in the Sima people can be interpreted as an evolutionary parallelism with modern humans, which does not necessarily imply an ancestor-descendant relationship, but rather a similar adaptation in two separate species. Further, this size reduction has several consequences for the dental morphology of the Sima population. The molars decrease in size from front to back in various individuals, with the first molar being largest. In addition, the hypocone and hypoconulid, cusps located toward the back of the chewing surface of the molar tooth crowns, are absent in a good part of the second and third upper and lower molars, respectively.

Together with this distinctive trait, most of the dental characteristics in the hominids from the Sima de los Huesos are derived. Some of them are shared with other European Middle Pleistocene hominids and the Neandertals, such as the expansion of the pulp chamber in the molar roots, known as taurodontism. Others, such as the absence of a cingulum (an extra development of enamel on the outer surfaces of the tooth crown) or the presence of only one root in the lower premolars, are shared with modern humans.

More than half of the Middle Pleistocene postcranial bones in the world derive from the Sima de los Huesos collection. The postcranial skeleton from the Sima presents a mixture of primitive and derived characteristics. One of the most evolutionarily important characters is the pubic length, which is long in Pelvis 1. Neandertals also have long pubic lengths, but with a much flatter and thinner cross-section.

nasales, aunque no son los únicos, siendo la del ejemplar del Pleistoceno medio africano de Bodo la mayor de todas. Finalmente, la morfología del borde nasal inferior es derivada entre los neandertales (y parece también estar presente en Arago 21), pero los fósiles de la muestra de la sima exhiben la condición primitiva.

En conjunto, los temporales de la Sima de los Huesos carecen de las especializaciones que caracterizan a la línea evolutiva de Homo erectus, como son el gran espesor del hueso timpánico, la extremada reducción del proceso postglenoideo (que está muy desarrollado en los ejemplares de la Sima de los Huesos) y la ausencia de apófisis estiloides fusionada al basicráneo (esta apófisis aparece osificada en todos ejemplares de la Sima de los Huesos que conservan esta región).

Por otra parte, en los temporales de la Sima de los Huesos tampoco se observan algunas de las características derivadas de las poblaciones neandertales. Así, ningún ejemplar de la Sima de los Huesos presenta tubérculo mastoideo anterior en la región anterolateral de la apófisis mastoides y, además, en los ejemplares adultos de la muestra de la Sima de los Huesos las apófisis mastoides están bien desarrolladas, tanto en robustez como en proyección desde la base del cráneo, mientras que en los individuos inmaduros el proceso mastoideo está mucho menos desarrollado y no sobrepasa en proyección a la región occipitomastoidea. Este patrón de desarrollo es el mismo que se encuentra entre las poblaciones humanas modernas, mientras que los neandertales "clásicos" se caracterizan por presentar adultos con escasa proyección del proceso mastoideo, que no suele sobrepasar a la región occipitomastoidea adyacente. La morfología mastoidea de los neandertales adultos puede explicarse como retención de un carácter juvenil.

La pared anterior de la cavidad glenoidea de los temporales de la Sima de los Huesos está tendida hacia adelante, lo que es un rasgo típico de los neandertales y de otros fósiles europeos del Pleistoceno medio como Steinheim, Petralona, y Bilzingzleben. Éste es un rasgo derivado de las poblaciones europeas del Pleistoceno medio y de los neandertales.

El rasgo más conspicuo de la muestra de dientes de la Sima de los Huesos es la relación de tamaño entre la dentición anterior (en la que además de los incisivos y el canino incluimos al primer premolar) y la dentición posterior (segundo premolar y serie molar), que presenta un valor extremo en la variabilidad observada en homínidos. Mientras que la dentición anterior muestra un tamaño comparable a la de otras poblaciones europeas del Pleistoceno medio y los neandertales, el segmento posterior alcanza un grado de reducción muy marcado, casi idéntico al de las poblaciones modernas, que se podría interpretar como un caso de paralelismo con dichas poblaciones. La reducción de los dientes posteriores de la Sima de los Huesos implica la presencia de una serie molar decreciente en varios individuos, así como la reducción o ausencia del hipoconúlido e hipocono en buena parte de los segundos y terceros molares inferiores y superiores, respectivamente.

Junto a esta característica distintiva, la mayor parte de los caracteres dentales de los homínidos de Sima de los Huesos son derivados, y compartidos, bien con otros homínidos europeos del Pleistoceno medio y con los neandertales (taurodontismo radicular), bien con estos homínidos y las poblaciones modernas (ausencia de cíngulo y presencia de una raíz en premolares inferiores).

En la colección de la Sima de los Huesos se encuentra la mayor parte de los fósiles humanos postcraneales del Pleistoceno medio de todo el mundo. En conjunto, el esqueleto postcraneal de la Sima de los Huesos presenta una mezcla de caracteres primitivos y derivados. Un carácter del esqueleto postcraneal de gran interés filogenético es la longitud del pubis, que es larga en el caso de la Pelvis 1.

The pelves preserved in specimens of the genus *Australopithecus* also show long pubic lengths, which tells us that this is the primitive condition. It is present in all hominids except modern humans, the only ones who show a short pubic length with a thick cross-section.

The Sima de los Huesos humans: What were they like?

Studies carried out on the mandibular and maxillary remains, together with detailed analysis of the morphology and occlusal and interproximal wear of the teeth as well as the fitting of loose teeth into their corresponding tooth sockets, has allowed us to establish that the collection of fossil humans recovered to date from the Sima de los Huesos corresponds to a minimum of 27 individuals. This "family" is made up of one child, 13 adolescents between 10 years and 16/17 years of age, 7 adults between 17/18 years and 24/25 years of age and 7 adults older than 25/26 years. Of this last category, only three had survived beyond 35 years, but couldn't have been older than 40/45 years of age at the time of their death. Pelvis 1 represents one of these oldest individuals. The surface of the pubic symphysis, at the front of the pelvis, and the articular facets, where the bones meet, between the sacrum and the coxal bones indicate an age at death of older than 35 years. Another individual from the Sima, of which the pubis is preserved, could have been older than 45 years.

Studies of the postcranial skeleton, dentition, mandibles and crania suggest that both sexes are equally represented in the Sima de los Huesos sample. This is fortunate because it has allowed us to tackle the problem of sexual dimorphism, the size differences between males and females, in a Middle Pleistocene human population. This is a crucial question in human evolutionary studies since the degree of sexual dimorphism shows a correlation with certain social behaviors and organization among living primates.

In hominids, sexual dimorphism is mainly expressed in terms of body weight, with males being heavier than females. In the earliest hominids, these size differences were as marked as in the case of gorillas, where males weigh almost twice as much as females. In our own species, males and females are much more similar in size, with males being on average 10% heavier than females. However, it wasn't known how sexual dimorphism had decreased during the course of human evolution, and various authors maintained opposing opinions.

The extraordinary sample of human fossils from the Sima de los Huesos, which includes numerous bones highly correlated with body weight (such as femora, foot bones, or the pelvis) has allowed us to perform a complex statistical analysis whose results are clear and somewhat surprising: the degree of sexual dimorphism in the population represented by the Sima de los Huesos was similar to that seen among ourselves. Given that the size differences between the sexes was the same as in living humans, once you know the height and body size of one of the sexes you also know the characteristics of the other. For this purpose, the study of Pelvis 1 proved to be instrumental. In the first place, it was possible to determine that this individual was male, due to various anatomical details of the pelvis, such as the triangular shape of the upper pubic ramus, the narrow sciatic notch and the forward position of the joint between the coxal bone and the sacrum.

At the same time, based on several femur fragments which belong to the same individual as Pelvis 1, we have estimated the stature at around

También el hueso púbico de los neandertales es alargado, pero éstos tienen una sección mucho más aplanada y fina. Las pelvis conservadas de ejemplares del género *Australopithecus* nos permiten saber que los primeros homínidos también tenían el pubis largo, por lo que esta morfología parece ser la característica primitiva, que presentan todos los homínidos a excepción de los humanos modernos, los únicos que poseemos un pubis acortado y grueso.

Los humanos de la Sima de los Huesos, tal como eran

Los estudios realizados sobre restos de mandíbula, maxilar y el análisis en detalle de la morfología, desgaste oclusal y proximal, así como el encaje de dientes sueltos en sus alveolos correspondientes, han permitido establecer que el conjunto de fósiles humanos de la Sima de los Huesos corresponde a un mínimo de 28 individuos. En esta "familia" hay un niño, 13 adolescentes de entre 10 y 16/17 años, 7 adultos de entre 17/18 y 24/25 años y 7 adultos de más de 25/26 años, de los que sólo tres habrían superado los 35 años, pero no tendrían más de 40/45 años. Entre estos últimos se halla el individuo representado por la Pelvis 1. La superficie de la sínfisis púbica y de las facetas de articulación entre los coxales y el sacro indican una edad de muerte algo superior a los 35 años. Otro individuo de la Sima de los Huesos, del que se conserva su pubis, podría haber superado los 45 años de edad.

Los estudios realizados en el esqueleto postcraneal, dentición, mandíbulas y cráneos apuntan a que ambos sexos están paritariamente representados en la muestra de la Sima de los Huesos. Este es un hecho afortunado ya que ha permitido acometer el análisis de la dimensión del dimorfismo sexual en una población humana del Pleistoceno medio.

Esta es una cuestión crucial en los estudios de evolución humana ya que el grado de dimorfismo sexual (es decir, las diferencias de tamaño y forma entre machos y hembras) es una de las principales variables que se relacionan con el comportamiento social de los primates. En los homínidos el dimorfismo sexual se expresa sobre todo en términos de peso corporal: los machos son más pesados (grandes) que las hembras. En los primeros homínidos estas diferencias de tamaño eran tan marcadas como en el caso de los gorilas, entre los que los machos casi doblan en tamaño a las hembras (esto es: pesan casi el doble). En la especie humana actual los tamaños de mujeres y varones están mucho más próximos y los varones sólo son, en promedio, un diez por ciento mayores que las mujeres. No se conocía cómo se había reducido, en nuestra evolución, el grado de dimorfismo sexual y distintos autores mantenían opiniones contrapuestas.

La extraordinaria muestra de fósiles humanos de la Sima de los Huesos, que incluye muchos huesos muy relacionados con el peso corporal (como, por ejemplo, los fémures, los huesos de los pies, o la pelvis) ha permitido realizar un complejo análisis estadístico cuyos resultados son muy claros y, relativamente sorprendentes: el grado de dimorfismo sexual en la población de los humanos representados en la muestra de la Sima de los Huesos era similar al que presenta una población humana actual.

Puesto que las diferencias de tamaño entre los dos sexos eran equivalentes a las existentes en la humanidad actual, basta con conocer la estatura y tamaño corporal de uno de los sexos para tener también caracterizado al otro. Para este propósito, el estudio de la Pelvis 1 ha

175 cm (about 6 feet tall). This value is similar to the average height of male individuals in a living population and slightly taller than the average stature of the Neandertals.

In addition, the width of the pelvis is highly correlated with the width of the trunk of the body and the thorax, and this has allowed us to estimate the body weight of this individual as around 95 kg (about 210 pounds). Nevertheless, it is probable that this individual weighed more than 100 kg (220 pounds), since the formulas used for calculating the body weight were based on modern humans, who have a lighter body build. Nor does this take into account the fact that the bones themselves were heavier in these Middle Pleistocene hominids, with thicker cortical bone in the walls. Thus, both sexes of the Middle Pleistocene people of the Sima de los Huesos show very robust, heavily-built bodies.

Knowing the body weight of the Sima hominids is critical to addressing another important topic in human evolutionary studies: the degree of encephalization, or the relationship between brain size and body weight. As we saw earlier, we have very precise measurements of the brain size in two individuals from the Sima sample (Cranium 4 and Cranium 5), from which it is easy to estimate their respective brain weights. Although the average brain size in the Sima population is only slightly smaller than that of modern humans, their larger body size means that their degree of encephalization was clearly lower than ourselves. Even more interesting is the fact that the degree of encephalization in these Middle Pleistocene hominids was also clearly lower than that of their descendants, the Neandertals. Many authors had not accepted this idea, until the evidence from the Sima de los Huesos demonstrated it to be true.

Another important topic that can be analyzed in the pelvis is the mechanics of the birth process. Although Pelvis 1 belonged to a male individual, fragments of female pelves have also been found in the Sima. Comparing them has shown that the differences in shape between male and female pelves in the Sima de los Huesos are similar to the differences found in living populations, which allows us to reconstruct the shape a Middle Pleistocene female pelvis would have had. Women today have a larger pelvic canal, or birth canal, than men, and it would be almost impossible for a male individual to give birth successfully. Nevertheless, the pelvic canal of the Sima de los Huesos individual is so large that the head of a modern human infant could easily pass through it. Keeping in mind the great width of Pelvis 1, it is not difficult to conclude that Middle Pleistocene women would have had a larger pelvic canal than modern women. If we add to this the fact that newborns would have had a smaller head than modern infants, we can conclude that giving birth would have been more comfortable and less difficult than in our own species. Nevertheless, the physiology and mechanics of the birth process in the Middle Pleistocene would have been very similar. Since the spiral shape of the pelvic canal and the position of the vagina are the same as in living humans, the head of the fetus would also perform a double internal rotation (as in our own species) and would leave the womb facing upwards, rather than facing backwards as in other primates. Different pathologies have been described in the Sima de los Huesos sample. Among them, the high prevalence of degenerative temporomandibular arthropathy is notable, and affects both jaw joints on either side of the skull in almost every individual. Further, a severe bilateral hyperostosis of the external auditory canal (the ear canal) in

resultado trascendental. En primer lugar, ha sido posible determinar que el individuo representado por la Pelvis 1 fue un varón, debido a la morfología del pubis, el estrecho superior de forma triangular, la escotadura isquiática estrecha y la posición adelantada de la articulación del coxal con el sacro.

Por otra parte, a partir de varios fragmentos de fémur que pertenecen al mismo individuo de la Pelvis 1 hemos podido estimar su estatura en alrededor de 175 cm. Este valor es similar a la media de los individuos masculinos de una población actual y ligeramente superior a la media de estatura de los neandertales.

Además, la anchura de la pelvis está muy correlacionada con la anchura del tronco y la amplitud del tórax, lo que nos ha permitido estimar el peso de este individuo en alrededor de 95 kg. Sin embargo, es probable que el peso de este individuo fuese superior a los 100 kg, ya que las rectas de regresión utilizadas para establecer el peso a partir de medidas esqueléticas se basan en estudios sobre poblaciones actuales que tienen un cuerpo más grácil. Tampoco se tiene en cuenta el mayor peso que tendrían los huesos de estos homínidos del Pleistoceno medio, que presentan un mayor grosor de las paredes óseas. En definitiva, los homínidos del Pleistoceno medio que aparecen en la Sima de los Huesos presentarían, en ambos sexos, una gran corpulencia física.

El conocimiento del peso corporal de los humanos de la Sima de los Huesos constituye la llave para afrontar otro de los aspectos de gran interés en los estudios de evolución humana: su grado de encefalización, o la relación existente entre el tamaño del encéfalo y el peso corporal. Como ya hemos visto anteriormente, conocemos con gran precisión el volumen encefálico en dos individuos adultos de la muestra (Cráneo 4 y Cráneo 5) a partir del cual es muy fácil estimar sus respectivos pesos encefálicos. Aunque el tamaño promedio del encéfalo de esta población es sólo ligeramente inferior al correspondiente a las poblaciones modernas, su mayor tamaño corporal determina que el grado de encefalización de estos humanos del Pleistoceno medio fuera netamente inferior que el de los humanos modernos. Aún más interesante resulta el hecho de que el grado de encefalización de las poblaciones humanas del Pleistoceno medio fuera también claramente inferior al de sus descendientes, las poblaciones neandertales. Puesto que humanos del Pleistoceno medio y neandertales tuvieron tamaños corporales semejantes la diferencia en el grado de encefalización delata un auténtico aumento en esta variable a lo largo de la evolución de los neandertales. Algo que muchos autores no reconocían como probado hasta la evidencia de la Sima de los Huesos.

Otro de los temas clave que pueden ser analizados en una cadera es el de establecer la mecánica del parto. Aunque, como ya hemos visto, la Pelvis 1 de la Sima de los Huesos pertenece a un individuo masculino, en este mismo yacimiento se han encontrado fragmentos de coxales femeninos. Su comparación nos permite saber que las diferencias de forma entre las pelvis masculinas y femeninas en los humanos de la Sima de los Huesos también era similar a la que se encuentra en poblaciones actuales, lo que nos faculta para reconstruir la forma que tendría una pelvis femenina del Pleistoceno medio.

En la actualidad las mujeres tienen un canal pélvico, o canal del parto, de mayor tamaño que el de los hombres y sería prácticamente imposible que un individuo masculino actual diese a luz con éxito. Sin embargo, el canal pélvico del individuo de la Sima de los Huesos es tan grande

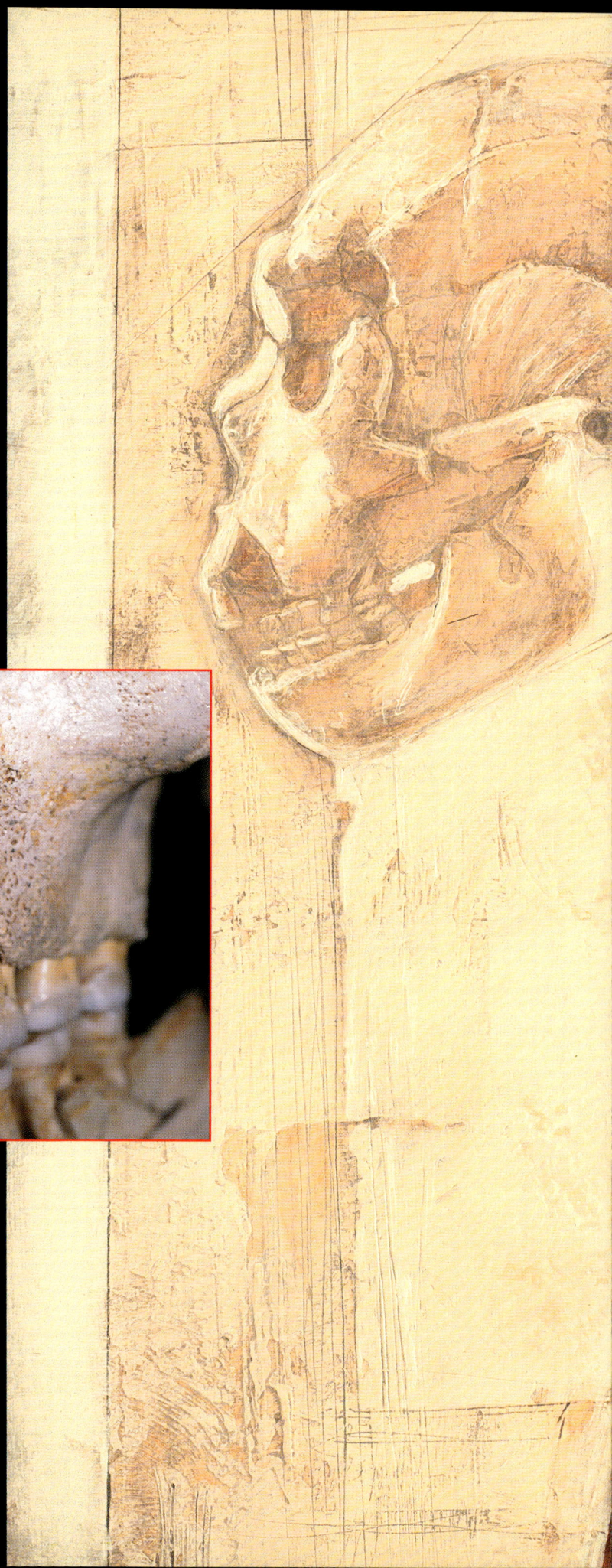

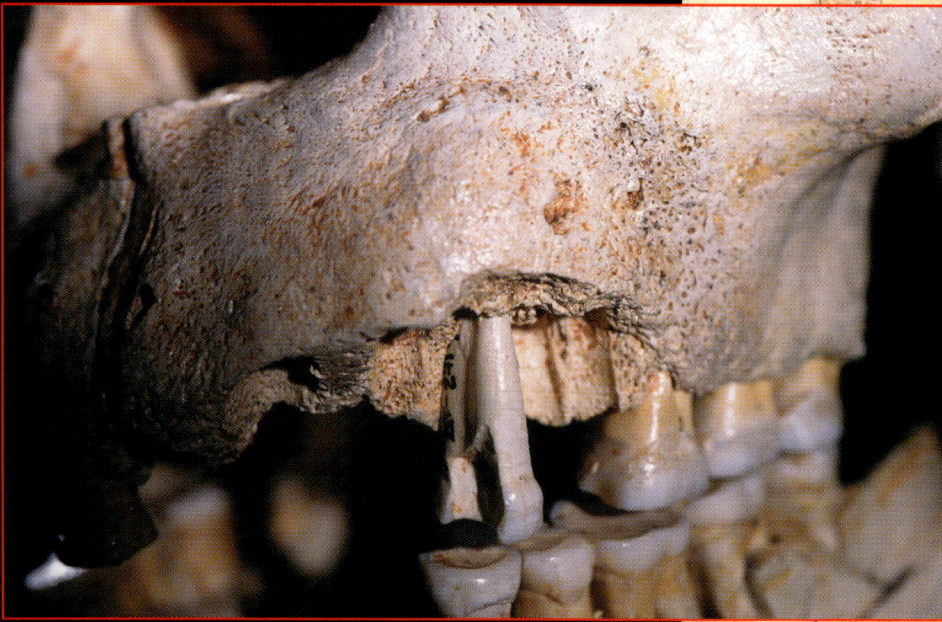

Homo heidelbergensis

The extraordinary preservation of Cranium 5 has allowed us to accurately reconstruct the Sima hominids. This individual suffered a tooth fracture in life, exposing the pulp cavity and producing a severe infection. The face was deformed by an abscess, which must have produced intense pain.

A partir del extraordinario Cráneo 5 se ha podido hacer una reconstrucción fidedigna del hombre de la Sima. Este individuo sufrió en vida la fractura de un diente y al quedar la cavidad interna al aire se produjo una infección severa. El enfermo debió de sufrir intensos dolores y la deformación de la cara por un flemón.

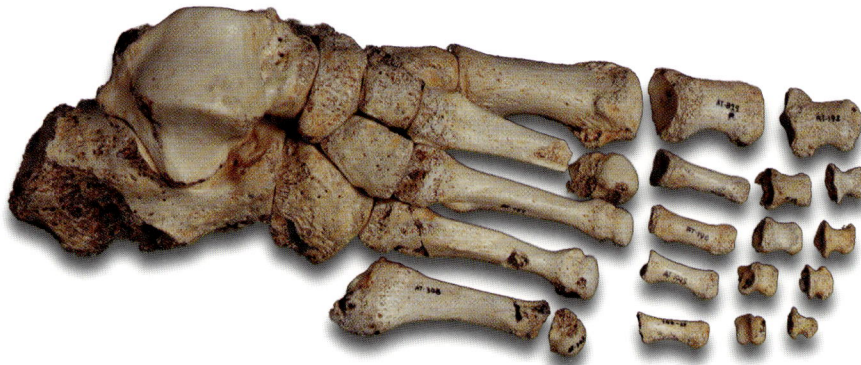

Reconstruction of the skeleton of a human foot from the Sima de los Huesos.

Reconstrucción del esqueleto de un pie humano de la Sima de los Huesos.

Cranium 4 notably reduced the auditory capacities in this individual, perhaps even causing deafness. Cranium 5 suffered from a severe maxillary infection, brought on by a tooth fracture during the lifetime of this individual. The gravity of this infection is such that we cannot discard the possibility that it caused a septicemia which brought about the death of this individual. Another interesting pathology is also prevalent in a number of crania. Crania 4, 5 and 6 show scars on the cranial vault produced by light head injuries, and on Cranium 5 there are quite a few. The lateral part of the left browridge in the immature individual AT-624 suffered a severe blow which affected not only the outside table of the bone, but penetrated into the diploë of the cranial vault. However, there are signs of bone regeneration in this area, which suggests that the child didn't die from this blow. Nevertheless, the inflammation would probably have caused vision problems in the affected eye. Finally, the mandible AT-772 + AT-792 lost both of the central incisors and the right lateral incisor from a frontal blow.

One of the most interesting indicators of health and general quality of life in previous populations are what is known as enamel hypoplasias. This is an anomaly or deficiency in the enamel mineralization process, or amelogenesis, which manifests itself as a depressed zone in the enamel in the tooth crowns, generally visible to the naked eye.

Enamel hypoplasia is considered evidence of a non-specific stress which occurred during development, and is associated with serious cases of malnutrition, certain illnesses, infections and trauma. In general, a higher prevalence of cases of hypoplasia in the population indicates a lower quality of life, in which a monotonous diet low in calories, poor in animal proteins and lacking certain vitamins and minerals can play an important part. The width and depth of the areas affected by enamel hypoplasia can tell us about the intensity of the stress suffered by a child during their growth and development. Since the onset and finish of crown formation is known for each tooth, as well as the length of the entire process, we can determine with relative ease the approximate moment when each episode of stress occurred according to the position of the hypoplasia on the tooth crown.

The analysis of 22 lower canines (21 permanent teeth and one deciduous tooth) recovered in the Sima de los Huesos can inform us about the prevalence of enamel hypoplasias in the population among children until roughly 5 ± years of age, when the tooth crown is fully formed. These teeth belong to a total of 17 different individuals, of which only five show hypoplasias of a certain severity, indicating that somewhat less than 30% of the children in this population suffered from episodes of physical stress. This is less than the percentage (46.5%) observed in a large Neandertal sample and much less than certain populations of Homo sapiens from different epochs, including some from the past century living in semi-industrialized societies.

que por él podría pasar sin dificultad la cabeza de un feto actual. Teniendo en cuenta la gran anchura de la Pelvis 1 no es difícil concluir que las mujeres del Pleistoceno medio tendrían un canal pélvico mayor que el de las mujeres actuales. Si a ello añadimos que los recién nacidos vendrían al mundo con una cabeza de menor tamaño que los niños actuales, cabe concluir que el parto sería más holgado y menos dificultoso que en la actualidad.

Sin embargo, la fisiología y mecánica del parto en el Pleistoceno medio sería muy similar, porque la forma en espiral del canal pélvico y la posición de la vagina son iguales a las actuales y por lo tanto la cabeza del feto a término también efectuaría una doble rotación interna y su salida sería ventral y no posterior como en otros primates.

Se han observado y descrito diferentes patologías en la muestra de la Sima de los Huesos. Entre ellas destaca la alta prevalencia de artropatía degenerativa temporomandibular, que afecta, en ambos lados, a casi todos los individuos de la muestra. También es notable la presencia de una severa hiperostosis del conducto auditivo externo bilateral en el Cráneo 4, que redujo notablemente, quizá hasta la sordera, las capacidades auditivas de dicho individuo. El individuo representado por el Cráneo 5 padeció una severa afección maxilodentaria, ocasionada por la fractura en vida de una pieza dentaria. La gravedad de esta afección es tal que no puede descartarse que causara una septicemia y fuera la causa de la muerte de Miguelón. Otro tipo de patología de gran interés lo constituyen los traumatismos de los que sólo existen evidencias en diferentes restos craneales. En la bóveda de los cráneos 4, 5, y 6 se encuentran señales y cicatrices de ligeros traumatismos (pero numerosos, especialmente en el caso del Cráneo 5). En la parte lateral del torus supraorbitario izquierdo del individuo inmaduro AT-624 se observa un severo traumatismo que afecta tanto a la tabla externa como al diploe. Existen signos de regeneración ósea, de manera que este niño no murió como consecuencia del golpe aunque probablemente la inflamación le produciría problemas de visión en el ojo afectado. Finalmente, la mandíbula AT-772 + AT-792 perdió los dos incisivos centrales y el lateral derecho a consecuencia de un golpe frontal.

Uno de los indicadores más interesantes de la salud y en general de la calidad de vida de las poblaciones pretéritas es la denominada hipoplasia del esmalte. Se trata de una anomalía o deficiencia en el proceso de mineralización del esmalte, o amelogénesis, que se manifiesta como una zona deprimida en el esmalte de la corona, generalmente visible a simple vista.

La hipoplasia del esmalte se considera una evidencia de estrés no específico ocurrido durante el desarrollo, que se asocia a problemas serios de malnutrición, determinadas enfermedades, infecciones y traumas. En general, una mayor prevalencia de casos de hipoplasia del esmalte en la población indica una peor calidad de vida, en la que un

It is interesting to point out that the majority of stress episodes detected in the Sima de los Huesos occurred during a very concrete period in infancy. In effect, the majority of the hypoplastic lines, grooves and bands occurred between 3-4 years of age. The subject of the timing of maximum frequencies of hypoplastic defects has been observed in all the populations studied, although the moment of initial appearance is variable. Thus, the peak of maximum frequency in Neandertals coincides with that of the Sima (3 years), while in modern historic populations, this peak usually appears earlier, between 1-3 years of age. It has been suggested that this peak of maximum frequency coincides with the weaning period in infants, that is, the period when a gradual reduction is taking place in the amount of maternal milk consumed and new foods are being added to the diet.

Another interesting health aspect of the Sima population is their apparent concern for dental hygiene. The necks of numerous premolars and molars in the collection show certain grooves produced by the use of "toothpicks" to clean these interdental spaces, and this practice could have had a therapeutic effect as well. These toothpick grooves are only present in those individuals with a certain degree of "exposure" of the tooth roots. That is, in individuals who suffered a loss of alveolar bone surrounding the tooth sockets, whether as part of the normal ageing process or due to periodontal disease, and which led to a certain opening of the interdental spaces. Small particles of food solids easily lodge in these spaces producing a more or less painful nuisance. If the food consumed also contained a certain amount of hard and abrasive particles, something that must have been common in Pleistocene hominid populations, this could produce abrasions that would facilitate the formation of such toothpick grooves. This practice of preventive hygiene among the Sima hominids is among the most ancient known.

According to all the available evidence, then, we can state that the population represented by the hominid sample from the Sima de los Huesos had an acceptable diet and quality of life, even when compared with certain recent human populations whose economy was based on agriculture and possessed a certain level of industrialization

The place of the Atapuerca fossils within the human evolutionary tree

Some researchers have suggested that two main branches can be distinguished in the human evolutionary tree during the Lower and Middle Pleistocene, both of which evolved from Homo ergaster, who would represent their last common ancestor. On the one hand is the exclusively Asian branch of Homo erectus. The other evolved independently from Homo erectus, is more complex, and includes the African and European Middle Pleistocene fossils which eventually gave rise to the Neandertals and ourselves, Homo sapiens. In this scenario, the evolutionary lines of the Neandertals (in Europe) and modern humans (in Africa) would have diverged less than 500,000 years ago. Middle Pleistocene human fossils from Africa and Europe were grouped together in the species Homo heidelbergensis, who was said to be the last common ancestor of the Neandertals and modern humans.

Our analysis of the Sima de los Huesos human fossils has led us to conclude: 1) that all the European Middle Pleistocene fossils (including Mauer, Steinheim, Petralona, Arago, Swanscombe and the Sima de los Huesos, among others) correspond to the same evolutionary stock and 2) that derived traits shared with Neandertals are found only in these European Middle Pleistocene fossils. In other words, the Middle

tipo de dieta monótono, bajo calorías, pobre en proteínas de origen animal, y falto de ciertas vitaminas y minerales determina una salud deficiente. La anchura y profundidad de las zonas afectadas por la hipoplasia del esmalte nos informa de la intensidad del estrés sufrido por el niño durante su desarrollo. Puesto que se conoce el tiempo inicial y final de formación de las coronas de los dientes, así como la duración total del proceso, la posición de la hipoplasia nos permite conocer con relativa facilidad el momento aproximado en el que se produjo cada episodio de estrés.

El estudio de la muestra de 22 caninos inferiores (21 permanentes y uno deciduo) recuperados en la Sima de los Huesos es suficientemente amplia para conocer la prevalencia de hipoplasia del esmalte en la población de niños de hasta cinco años y medio. Estos dientes pertenecen a un total de 17 individuos, de los que tan sólo cinco individuos presentan una hipoplasia del esmalte de cierta severidad, lo que supone un porcentaje de algo menos del 30% para la prevalencia de esta lesión en la población de niños de menos de cinco años y medio. Este porcentaje es menor que el observado en una amplia muestra de neandertales (46,5%), y mucho menor que el obtenido en ciertas poblaciones de épocas diversas, incluidas algunas del siglo pasado con un cierto desarrollo industrial.

Es interesante destacar que la mayor parte de los episodios de estrés detectados en la muestra de la Sima de los Huesos, ocurrieron en un periodo muy concreto de la niñez. En efecto, la mayoría de las líneas, surcos y bandas de hipoplasia se producían a partir de los tres años y hasta los cuatro años y medio. Este tópico de máxima frecuencia de los casos de hipoplasia se ha observado en todas las poblaciones estudiadas, aunque su momento de aparición es variable. Así, en neandertales el pico de máxima frecuencia coincide con el de la Sima de los Huesos (3,5 años), mientras que en poblaciones modernas históricas ese máximo suele aparecer antes, entre uno y tres años. Se ha sugerido que el pico de máxima frecuencia de aparición de la hipoplasia del esmalte puede estar relacionado con la época de destete de los niños; es decir, con el periodo en el que se produce una reducción gradual de la leche materna y la progresiva introducción de nuevos alimentos en la dieta.

Uno de los aspectos más interesantes sobre la salud de la población de la Sima de los Huesos es su preocupación por la higiene dental. En efecto, en el cuello de numerosos premolares y molares de la colección se ha observado la presencia de unos surcos de desgaste producidos por el paso habitual de un objeto duro entre las piezas dentales. El uso de esos "palillos" tendría la misión de limpiar los espacios interdentales, pero quizás pudo tener también un propósito terapéutico. En efecto, los surcos solamente están presentes en aquellos individuos con cierto grado de denudación de la raíz de los dientes; es decir, en aquellos individuos en los que se produce una pérdida de hueso alveolar, bien de manera normal a partir de cierta edad, bien por enfermedad periodontal. Este fenómeno conduce a la apertura de los espacios interdentales. Pequeños fragmentos de alimentos sólidos se alojan facilmente en estos espacios, produciendo molestias más o menos dolorosas, cuando el individuo padece de enfermedad periodontal. Si el alimento lleva además partículas duras y abrasivas, algo que debió ser muy común en poblaciones de homínidos que carecían de higiene, se podía producir una abrasión que aceleraría el proceso de formación de los surcos de desgaste. Esta práctica profiláctica se encuentra entre las más antiguas de las que se tiene noticia.

evoluti

Sahelanthropus tchadensis

Australo
platy

Ardipithecus ramidus

Australopithecus
anamensis

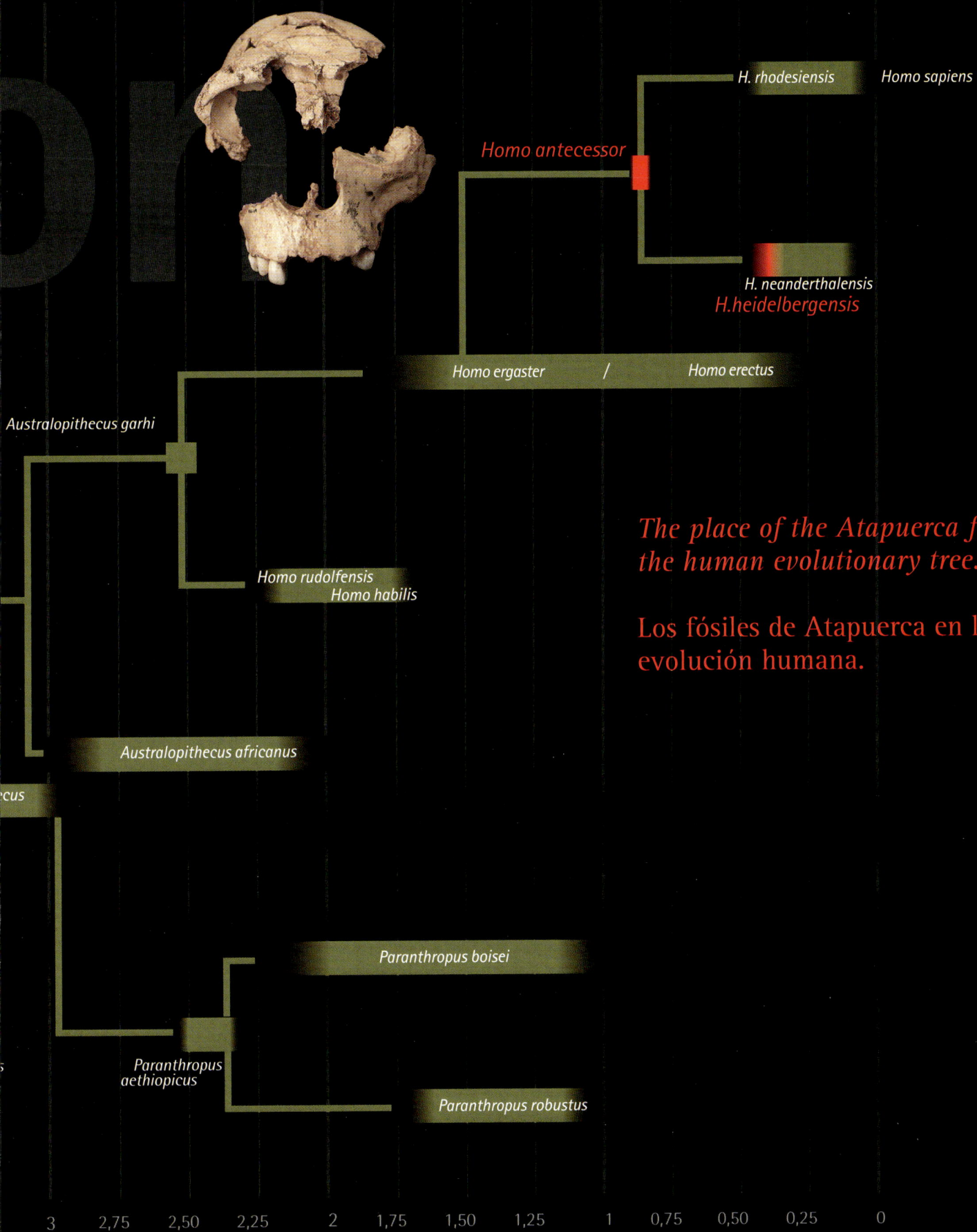

H. rhodesiensis   Homo sapiens

Homo antecessor

H. neanderthalensis
H.heidelbergensis

Homo ergaster   /   Homo erectus

Australopithecus garhi

Homo rudolfensis
Homo habilis

The place of the Atapuerca fossils in the human evolutionary tree.

Los fósiles de Atapuerca en la evolución humana.

Australopithecus africanus

·cus

Paranthropus boisei

Paranthropus
aethiopicus

Paranthropus robustus

| 3 | 2,75 | 2,50 | 2,25 | 2 | 1,75 | 1,50 | 1,25 | 1 | 0,75 | 0,50 | 0,25 | 0 |

Pleistocene European hominid population, and only this population, were the ancestors of the Neandertals, but not of modern humans. Based on these conclusions, two possibilities exist. If Homo heidelbergensis is the common ancestor of the Neandertals and modern humans, then we should exclude the European Middle Pleistocene fossils from this species, since they are only the ancestors of the Neandertals. This isn't possible, because Homo heidelbergensis was defined on a European fossil, the Mauer mandible, which gave the species its name. Thus, any definition of which specimens comprise this species must necessarily include the Mauer mandible, a European Middle Pleistocene fossil. The second option is to consider Homo heidelbergensis as a "chronospecies" within the evolutionary line Homo heidelbergensis/Homo neanderthalensis (or even a subspecies: Homo neanderthalensis heidelbergensis). This hypothesis acknowledges an ancestor-descendant relationship between the European Middle Pleistocene fossils (such as from the Sima de los Huesos) and the later Neandertals, and recognizes that the line separating one from the other is difficult to draw. Thus, as a chronospecies, Homo heidelbergensis is defined temporally as one part of a continuous European evolutionary lineage. As a consequence of this, we must look for an alternative candidate for the last common ancestor of this lineage and that of modern humans.

Homo antecessor could very well be this candidate. Since we've already detailed the anatomical evidence which lead us to propose an evolutionary relationship between this species and Homo sapiens, we must now address its possible relationship with the Neandertals, through intermediate populations like that of the Sima de los Huesos. Homo antecessor, Homo sapiens and Homo neanderthalensis share several evolutionarily derived cranial characteristics. The high, arched upper margin of the temporal squama, the anterior placement and vertical orientation of the maxillary incisive canal and the prominence of the nose are clearly similar in all three species. Together, these three anatomical characteristics form a pattern which is both common to all three species and exclusive to them, and forms a solid basis to propose that Homo antecessor was the common ancestor species for both the Neandertals and Homo sapiens. We can also add here the fact, discussed previously, that certain specimens in the sample from the Sima de los Huesos (e.g. AT-404) and among the European Middle Pleistocene fossils (e.g. Steinheim) show a facial morphology which could be interpreted as intermediate between Homo antecessor and the Neandertals. Our hypothesis of evolutionary relationships, then, argues that the Neandertal and modern human evolutionary lines were already separated in the Middle Pleistocene, a view which contrasts with that supported by other authors mentioned at the beginning of this discussion. Consequently, we propose that the European and African fossils from this time period should be named separately, with Homo heidelbergensis reserved for the European specimens and Homo rhodesiensis for the African fossils. We should emphasize that this species difference is based only on evolutionary relationships and does not necessarily imply that representatives of both lineages, who are after all still very similar, were different biological species. Thus, it is still possible that members of each lineage could have occasionally produced offspring and exchanged genes. Our hypothesis of evolutionary relationships, nevertheless, assigns Homo antecessor the role of last common ancestor of both the Neandertal (Homo neanderthalensis) and modern human (Homo sapiens) lineages.

En definitiva, y de acuerdo con los datos disponibles, podemos afirmar que la población representada por la muestra de homínidos de la Sima de los Huesos tuvo en lo referente a su dieta una calidad de vida aceptable, en comparación con ciertos grupos humanos recientes de economías basadas en la agricultura y con un cierto nivel de industrialización.

Los fósiles humanos de Atapuerca en el panorama de la evolución humana

Algunos investigadores han sugerido que en el árbol de la evolución humana durante el Pleistoceno inferior y el Pleistoceno medio pueden distinguirse dos ramas principales, originadas ambas a partir de las poblaciones de Homo ergaster. Por un lado se encontraría el linaje, exclusivamente asiático, de Homo erectus, mientras que por otra parte las poblaciones humanas modernas, los neandertales y las poblaciones humanas representadas por los fósiles europeos y africanos del Pleistoceno medio compondrían otro linaje, que habría evolucionado independientemente del de Homo erectus.

En esta hipótesis las líneas evolutivas de los neandertales (en Europa) y de los humanos (en África) se habrían separado hace menos de 500.000 años. Se agrupaban los fósiles humanos mesopleistocenos de África y Europa en la especie denominada H. heidelbergensis que fue la antecesora común de los neandertales y de las poblaciones modernas. Nuestro análisis filogenético de los fósiles de la Sima de los Huesos nos ha llevado a concluir que: i) todos los fósiles europeos del Pleistoceno medio (Mauer, Steinheim, Petralona, Arago, Swanscombe o la Sima de los Huesos, entre otros) corresponden a un mismo stock evolutivo; ii) que únicamente en dichos fósiles europeos del Pleistoceno medio se encuentran rasgos derivados compartidos con los neandertales. En otras palabras, las poblaciones humanas del Pleistoceno medio de Europa, y sólo ellas, fueron los antecesores de los neandertales, pero en ningún caso de los humanos modernos.

Ante estas conclusiones caben dos opciones. Si se considera que H. heidelbergensis es la especie antecesora común de los neandertales y de los humanos modernos deberíamos entonces excluir de la especie a los fósiles europeos del Pleistoceno medio (que sólo son antecesores de los neandertales). Esto no es posible, porque H. heidelbergensis fue definida a partir de un fósil europeo, la mandíbula de Mauer, que dio nombre a la especie. La segunda opción es considerar que Homo heidelbergensis es una cronoespecie del linaje evolutivo Homo heidelbergensis/H. neanderthalensis (o incluso una subespecie: Homo neanderthalensis heidelbergensis) y buscar entonces una alternativa para el antecesor común de este linaje y el de los humanos modernos. Homo antecessor bien podría ser ese candidato. Ya hemos analizado las evidencias que nos permiten proponer la relación de esta especie con Homo sapiens. Queda ahora por discutir su posible relación con los neandertales, a través de poblaciones intermedias como la de la Sima de los Huesos. En esta línea , la especie representada por los fósiles de TD6 reúne varios requisitos para representar también al linaje de los neandertales. Por ejemplo, Homo antecessor, Homo sapiens y Homo neanderthalensis comparten algunos caracteres craneales especializados: el borde de la escama del temporal es alto y netamente arqueado, el canal incisivo del maxilar se sitúa en una posición anterior y es casi vertical, y la prominencia nasal es patente en las tres especies.

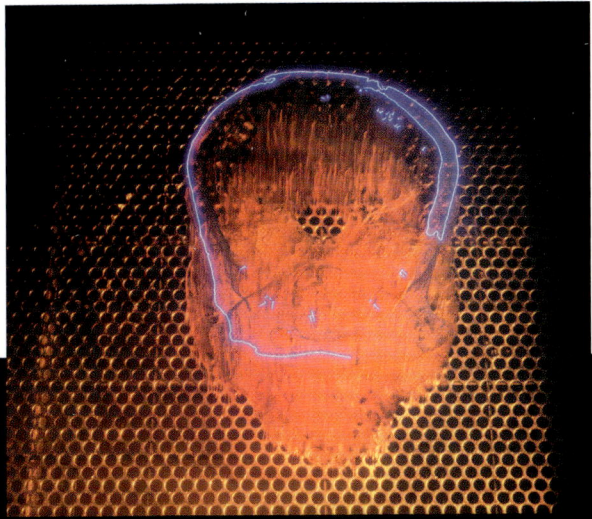

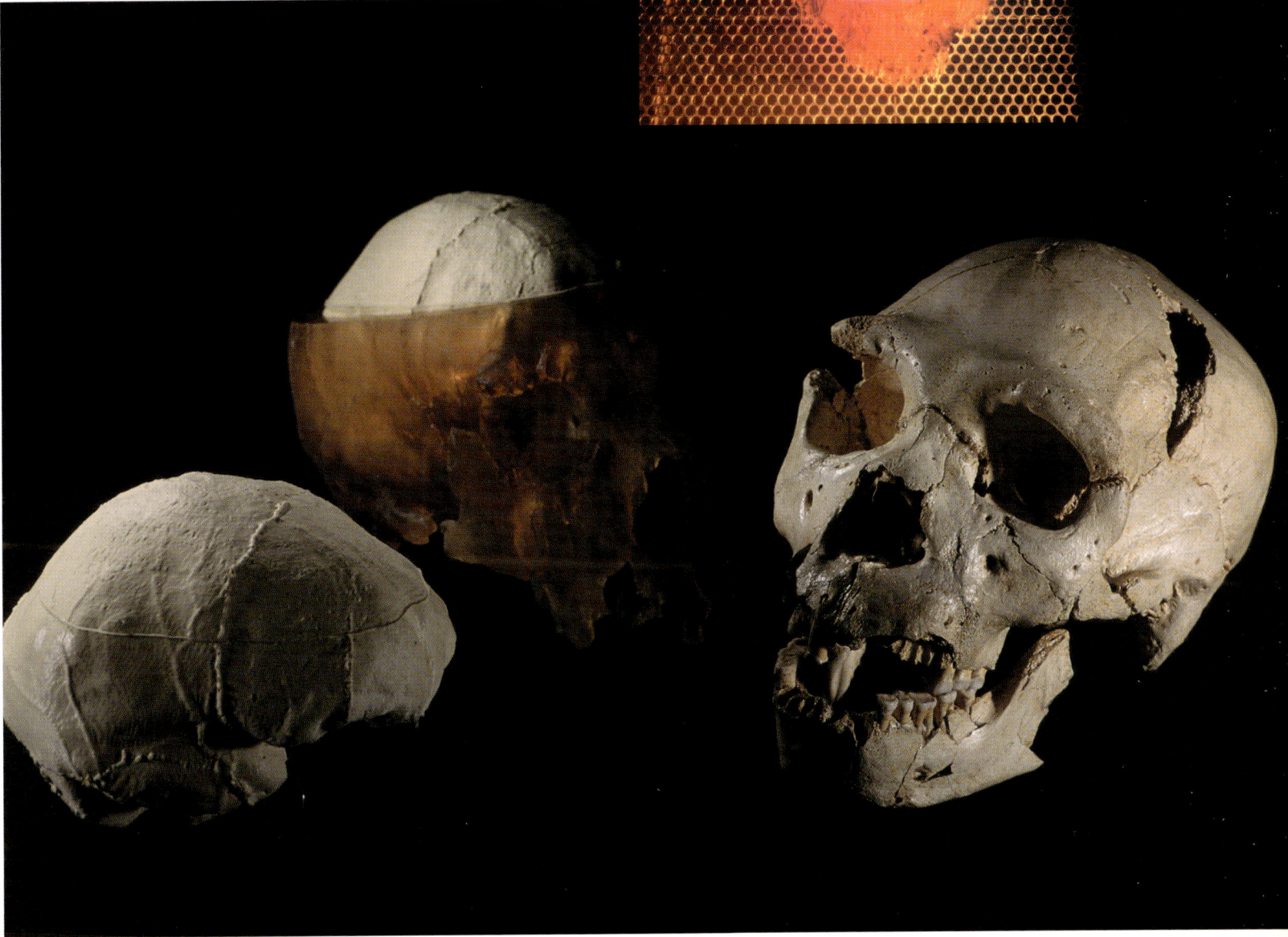

Laser generating the stereolithography of Cranium 5 and a cast of the brain.

Láser tallando la estereolitografía del Cráneo 5 y molde del encéfalo.

Another basic question when dealing with fossilized remains is whether the specimen being considered was an adult or immature individual at the time of their death. The growth and development of the skeleton in a child can be followed with radiographic techniques (X-rays) from birth until adulthood is reached. In very general terms, a given age will correspond to a certain size and stage of development in the bones and teeth, within the normal ranges of variation which characterize any biological population.

The teeth can provide very useful information to address this question since they undergo a process of growth and development which is coordinated to some degree with that of the rest of the skeleton. Not only do we lose our "milk" teeth when they are replaced by the permanent dentition, but the stages of formation and eruption of each tooth correspond to a precise moment in the growth and development of a child, and can be easily studied in radiographs. The sample of fossil hominids from the Sima de los Huesos includes dental remains of several children and adolescents. All we have to do is compare the formation and eruption stages of these teeth with the numerous studies carried out on modern populations to arrive at an age at death for these individuals. To estimate the age at death of adult individuals (whose teeth are already fully formed) in previous populations, we must rely on the degree of tooth wear, although the results are much less precise than those obtained for the immature individuals. Once a tooth becomes functional, after it has fully erupted, the occlusal (chewing) surface immediately begins to wear down through use, as do the anterior and posterior surfaces which are in contact between adjacent teeth. This wear process proceeds faster or slower depending on the type of diet and the possible presence of abrasive particles in the food, which intensively polish the enamel and dentine in the teeth. Human populations from the Pliocene and Pleistocene, and even those from the Holocene, suffered a considerable degree of tooth wear, to the point where even in very young individuals the molar crowns could be worn down to the root, exposing the pulp cavity. Today, cooked foods and a rigorous hygiene have considerably reduced the speed and rate of tooth wear, which has been reduced to friction between the teeth during chewing. One additional problem is that the speed of wear in the teeth varies from one population to another depending on the diet. To address this problem, the researcher A. Miles has proposed that we estimate the rate of tooth wear in immature individuals, whose age at death we know based on the formation and eruption stages of their teeth. Once we have established the rate of wear in immature individuals, we can then use this information to estimate the ages in adult individuals. Using this process, we have been able to estimate the age at death of the adults from the Sima de los Huesos with a reasonable level of precision, although still accepting a margin of error of plus or minus five years.

El crecimiento y desarrollo del esqueleto de un niño se puede seguir mediante técnicas radiográficas desde el nacimiento hasta que alcanza la edad adulta. En términos muy generales (en individuos inmaduros) le corresponde un cierto tamaño y desarrollo de sus huesos, dentro de unos márgenes de variación característicos de cada población.

Las piezas dentarias ofrecen información interesante para abordar este problema. El aparato dental sufre un proceso de crecimiento y desarrollo, si cabe aún más complejo, que incluye una muda de la dentición de "leche" (decidua) por la dentición definitiva. Además, cada instante del crecimiento del niño y del adolescente se caracteriza por una combinación particular de estados de desarrollo y erupción, que fácilmente se pueden distinguir en una radiografía. En el registro de homínidos de la Sima de los Huesos contamos con los restos fósiles del aparato masticador de varios niños y adolescentes. Sólo tenemos que comparar el estado de desarrollo y erupción de sus dientes con los numerosos datos obtenidos en poblaciones humanas recientes.

Para estimar la edad de muerte de los individuos adultos de poblaciones pretéritas se analiza el grado de desgaste de los dientes, aunque los resultados son mucho menos precisos que los obtenidos con los individuos inmaduros. Cuando un diente llega a ser funcional, una vez finalizado su proceso de erupción, comienza inmediatamente a sufrir un desgaste de la superficie oclusal (o de masticación), así como de las caras de contacto con los dientes adyacentes. Ese proceso es más o menos rápido en función del tipo de dieta y de la posible presencia de partículas abrasivas en los alimentos, que pulen de manera intensa el esmalte y la dentina de los dientes. Las poblaciones del Plioceno–Pleistoceno, y aún las del Holoceno, sufrían un desgaste considerable de las piezas dentarias, al punto que en individuos muy jóvenes la corona de los molares podía quedar abrasada hasta la raíz con exposición de la cavidad pulpar. En la actualidad, los alimentos cocinados y la higiene extrema han disminuido de manera considerable la velocidad o tasa de desgaste de los dientes, que se reduce a la fricción de unas piezas con otras durante el proceso de masticación.

Un problema adicional es que la velocidad de desgaste de los dientes varía de una población a otra en función de la dieta. Para resolver este inconveniente, el investigador A. Miles propuso hace ya algunos años estimar la tasa de desgaste de los dientes de los individuos inmaduros, cuya edad de muerte conocemos por su desarrollo dental, y utilizar después esa información para los adultos. Con este procedimiento, hemos podido estimar la edad de muerte de los adultos de la Sima de los Huesos con una precisión aceptable, aunque considerando un posible margen de error de cinco años.

The wear produced on the teeth by abrasive foods reaches all the way to the roots in some individuals.

El desgaste producido en los dientes por alimentos abrasivos llega en algunos individuos hasta la raíz.

This scenario has been strengthened in recent years by two independent lines of evidence. Research into the mitochondrial DNA (mtDNA) extracted from the original Neandertal fossil, recovered from Feldhofer Cave in the Neander Valley in Germany, has produced some very interesting data on the timing of the separation of these two lineages. When the mtDNA sequence of the Neandertal specimen is compared with numerous sequences from diverse living populations of humans, the genetic differences between the Neandertal specimen and living populations is appreciably greater than the differences observed between the living populations themselves. By estimating the amount of time necessary to produce such a difference, it appears that the Neandertal and modern human lineages must have parted ways some 465,000 years ago, with a more conservative estimate being between 317,000-741,000 years ago. These dates are older than almost all of the human fossils which comprise the European and African Middle Pleistocene record, which, by being younger than the divergence date, means they would already have clearly pertained to one lineage or the other. At the same time, in 1994, a skull was found at the site of Ceprano, in the region of Campogrande, not far from Rome, which is dated to between 800,000-900,000 years ago on the basis of comparisons of the site with the known stratigraphic sequence in the surrounding region. This cranium belonged to a very robust adult individual with a brain size greater than 1,100 cm³. The analysis of this fossil has lead its describers to conclusions which are practically identical to our own, and to contemplate its inclusion in Homo antecessor as very plausible.

Esta posesión común y exclusiva de rasgos constituye una base firme para sostener la hipótesis de que Homo antecessor fue la especie antecesora común de los neandertales y de Homo sapiens. A este argumento también podríamos añadir que, como hemos visto previamente, existen ejemplares en la muestra de la Sima de los Huesos (AT-404) y en el registro del Pleistoceno medio europeo (Steinheim) cuya morfología facial puede ser interpretada como intermedia entre la de Homo antecessor y la de los neandertales.

De este modo nuestra hipótesis de relaciones filogenéticas defiende que los linajes de los neandertales y la humanidad actual ya estaban separados en el Pleistoceno medio. En consecuencia proponemos que los fósiles europeos y africanos de este periodo sean nombrados de manera separada: como Homo heidelbergensis, los primeros, y como Homo rhodesiensis los segundos. Bien entendido que esta distinción específica atiende a criterios meramente filogenéticos y no implica que los representantes de ambos linajes (por lo demás todavía muy parecidos morfológicamente) no pertenecieran aún a la misma especie biológica y que, incluso, pudieran intercambiar genes ocasionalmente. Nuestra hipótesis filogenética asigna a la especie Homo antecessor el lugar de último antepasado común de las estirpes de neandertal (Homo neanderthalensis) y humanos actuales (Homo sapiens).

Nuestra hipótesis ha sido reforzada en los últimos años por dos evidencias independientes. Por una parte, las investigaciones del ADN mitocondrial extraído en el espécimen de neandertal recuperado en la Cueva Feldhofer, en el Valle de Neander, han proporcionado datos muy interesantes sobre el momento de la separación de los dos linajes evolutivos. Cuando se compara la secuencia de bases del ejemplar neandertal con numerosas secuencias de distintas poblaciones humanas, se obtuvo que la divergencia genética entre los neandertales y las poblaciones recientes es notablemente mayor que la divergencia observada dentro de las poblaciones actuales. Traducido a tiempo, la conclusión es que las líneas evolutivas que conducen por una lado a las poblaciones modernas y por otro a los neandertales divergieron hace unos 465.000 años, con unos límites de confianza de entre 317.000 y 741.000 años. Estas fechas son más antiguas que la práctica totalidad de fósiles europeos y africanos del Pleistoceno medio que, por ser posteriores a la fecha de divergencia, ya estarían comprometidos en una u otra línea evolutiva.

Por otra parte, en 1994 fue hallada en la región de Campogrande, no lejos de Roma, la calvaria de Ceprano, un fósil cuya antigüedad ha sido establecida por correlación con la estratigrafía regional entre hace 800.000 y 900.000 años. Este resto craneal perteneció a un individuo adulto, muy robusto y con una capacidad craneal elevada, superior a 1100 cc. El análisis realizado sobre este fósil ha llevado a sus autores a unas conclusiones prácticamente idénticas a las nuestras, y a contemplar su inclusión en Homo antecessor como muy plausible.

Excalibur

Discovered in the Sima de los Huesos in 1998 and with an antiquity of some 400,000 years, this handaxe is the only stone tool found during nearly 20 years of excavation. The explanation for the absence of tools in the Sima is that it was not used as a living area, but, rather, as a place where cadavers were accumulated. Our interpretation of how such a surprising accumulation was formed is that the corpses were intentionally deposited there by other prehistoric humans. For what purpose? We believe that we are dealing with some form of symbolic behavior, that is, a common belief shared by an entire social group. But to demonstrate this, we had to find a symbolic object, and this could very well be present in the form of the only item produced by human hands found at the site, the handaxe. For this reason, we decided to name it "Excalibur", after the magical sword of King Arthur.

Descubierto en la Sima de los Huesos en 1998 y con una antigüedad de unos 400.000, años este bifaz es el único útil de piedra encontrado en muchos años de excavación. La explicación de la ausencia de herramientas es que la Sima de los Huesos no fue utilizada como espacio de habitación humana, sino como lugar de acumulación de cadáveres. Nuestra interpretación de cómo se formó tan sorprendente depósito es que otros humanos depositaron allí todos esos cuerpos de una manera consciente. ¿Cuál era su propósito? Sospechábamos que se trataba de un comportamiento simbólico, es decir, que respondía a alguna creencia compartida por todo un grupo. Pero para demostrarlo hacía falta encontrar un elemento simbólico, y muy bien podría serlo el único objeto producido por la mano humana que se encuentra en el yacimiento. Por eso decidimos ponerle de nombre "Excalibur", como la espada mágica del Rey Arturo.

*Technological and economic change in
the Sierra e Atapuerca*

Cambio Tecnológico y Económico en
la Sierra Atapuerca

Among the remains of Homo antecessor in the Gran Dolina, numerous primitive pre-Acheulean stone tools were found, also known as Mode 1. These crude-looking stone tools are similar to those used in Africa until 1.5 million years ago.

Entre los restos humanos de Homo antecessor en la Gran Dolina aparecieron numerosas piezas de industria lítica muy primitiva denominada pre-Achelense o de Modo 1. De aspecto muy tosco esta industria se asemeja a la utilizada en África hasta hace 1,5 millones de años.

Quartzite point from level TD10 in the Gran Dolina (Mode 3)
Punta de cuarcita del nivel TD10 de Gran Dolina (Modo 3)

Quarzite nucleus from level TD4 (Mode 1)
Núcleo de cuarcita del nivel TD4 (Modo 1)

Quartzite handaxe from Galería (Mode 2)
Bifáz de cuarcita de Galería (Modo 2)

Stone Tool Technology in the Sierra de Atapuerca

At the archaeological sites in the Sierra de Atapuerca, stone tools belonging to Modes 1, 2 and 3 have been recovered.

Mode 1

Mode 1 stone tools have been found in two of the sites associated with the Trinchera. The oldest of these, some 1.2 million years old, derives from the lower levels of the Sima del Elefante and is characterized by small- and medium-sized limestone Positive Bases (flakes) with sharp cutting edges.

Levels TD4-TD6 in the Gran Dolina have also yielded stone tools belonging to a Mode 1 technology, which are older than 780,000 and date to the Lower Pleistocene. Six types of rock were used in their production: flint (both Neogene and Cretaceous), quartzite, limestone, sandstone and, on rare occasions, quartz. All these raw materials can be found locally, within a three-kilometer radius of the site. The hominids who occupied level TD6 brought large blocks of Neogene flint to the cave site, as a raw material reserve, to later remove sharp flakes. We have been able to refit various stone tool fragments which came from the same original core, and this indicates that the process of making the stone tools was carried out at the site.

Homo antecessor wanted to obtain Positive Bases, but only in a very few cases were these flakes later retouched. The 1st Generation Negative Bases (1GNB), or nuclei, are well represented at the site. These nuclei were processed in large quantities, mainly being worked with an orthogonal reduction technique, although recurrent unipolar as well as unifacial and bifacial circular reduction techniques are also present. These flintknapping methods produce thick tools with straight ventral faces. Only occasionally were some of these flakes retouched, transforming them into more complex tools on a morphotechnical level. The use-wear analyses which have been carried out on some of the Positive Bases have indicated that these stone tools were used for working skins and animal flesh, as well as plant material.

Mode 2

Mode 2 technology has been documented at the site of Galería in the Trinchera, with an age of between 250,000-400,000 years ago. The quartzite hand axe found in the Sima de los Huesos is, according to the most recent dating of the site, around 400,000 years old. The raw materials used by Homo heidelbergensis included neogene flint, which was highly abundant, quartzite, cretaceous flint and sandstone. Quartz is only occasionally present. At the Galería site, the stone tools recovered were apparently brought there and used by hominids after having been fashioned elsewhere, in contrast to the situation in TD6. This would explain why very few 1st Generation Negative Bases, the nuclei, were found at the site. Both of these considerations lead us to believe that the various occupations of Galería, as well as the associated site Covacha de los Zarpazos, were short-term in nature.

The Mode 2 technology at Galería is characterized by the presence of large-sized Positive Bases which have been shaped. The medium -and large- sized cleavers and hand axes are clearly shaped and are more abundant than the picks, which only occur occasionally. Some of these pieces have been fashioned using soft-hammer techniques, such as by wood or antler. The study of the production sequence of these large stone tools, especially the bifaces, has demonstrated that the hominids

La Industria lítica de la Sierra de Atapuerca

En los yacimientos de la Sierra de Atapuerca han sido localizados los Modos Técnicos 1, 2, y 3.

El Modo 1

En Atapuerca hemos hallado herramientas pertenecientes al Modo 1 en dos de los yacimientos de la Trinchera del Ferrocarril. Las más antiguas, de 1,2 millones de años, proceden de los niveles inferiores de la Sima del Elefante y se caracterizan por las Bases Positivas de caliza de pequeño y medio formato con filos muy agudos.

Los niveles 4, 5 y 6 de Gran Dolina también han suministrado instrumentos tallados del Modo 1. Su antigüedad es de más de 780.000 mil años y, por lo tanto, pertenecen al Pleistoceno inferior. Las rocas utilizadas son de seis tipos: sílex (neógeno y cretácico), cuarcita, caliza, arenisca y esporádicamente cuarzo. En ningún caso la captación de materias primas para la confección de herramientas se hace a más de tres kilómetros de los asentamientos. Los homínidos que ocuparon el nivel 6 de Gran Dolina acarreaban grandes bloques de sílex neógeno como reserva para obtener después lascas de filos muy cortantes. Algunos remontajes realizados en este nivel nos indican que la gestión y talla de los materiales se realizaba "in situ".

El Homo antecessor quería obtener Bases Positivas pero en muy pocos casos las retocaba. Las Bases Negativas de 1º Generación de Explotación (Núcleos) están bien representadas. Estos soportes eran gestionados casi siempre en volumen, mayoritariamente de forma ortogonal aunque está presente la reducción unipolar recurrente y la unifacial y bifacial circular. Con estos sistemas de talla se obtenían productos espesos con talones lisos y caras ventrales rectas, sólo ocasionalmente algunos de estos positivos fueron retocados y convertidos en herramientas más complejas a nivel morfotécnico.

Los análisis que se han realizado de algunas de las Bases Positivas han mostrado señales de uso asociadas al trabajo sobre pieles y carne de animales y sobre vegetales.

El Modo 2

En Atapuerca hemos documentado el Modo 2 en el yacimiento de Galería en la Trinchera del Ferrocarril, con una antigüedad de unos 250.000 a 400.000 años. El bifaz de cuarcita encontrado en la Sima de los Huesos tiene, de acuerdo con las últimas dataciones, una antigüedad de cerca de 400.000 años. Las materias primeras utilizadas por Homo heidelbergensis fueron los sílex neógenos, muy abundantes, la cuarcita, el sílex cretácico, y las areniscas. El cuarzo solo está presente de forma ocasional.

En el yacimiento de Galería los instrumentos fueron aportados después de ser producidos en el exterior, a diferencia de lo que ocurre en el nivel 6 de la Gran Dolina. Ello explica que se localicen pocas Bases Naturales de 1º Generación de Explotación (Núcleos). Las ocupaciones de la Galería- Covacha de los Zarpazos son de corta duración motivo por el cual apenas se tallan objetos líticos "in situ" en este tipo de ocupaciones. Los sistemas técnicos de este Modo en este yacimiento se caracterizan por la presencia de Bases Positivas de gran formato que han sido configuradas: los hendedores y bifaces de medio y gran formato están bien configurados y son más abundantes que los picos, morfologías ocasionales. Algunas de estas piezas han sido configuradas con percutores blandos, madera o cuerna. El estudio de las secuencias

who made them were right-handed. Regarding the 2nd Generation Negative Bases, the presence of points, scrapers and denticulates stands out in some levels. The supports tend to be fashioned by recurrent centripetal, unipolar and bipolar techniques.

The use-wear analysis performed on the stone tools from this site indicates a low intensity of use, typical of tools found in short-term occupation contexts, and the few cases identified show a predominant use on animal flesh, possibly in the course of quartering and defleshing prey species.

Mode 3

A Mode 3 technology has been recovered in two sites associated with the Trinchera: level TD10 from the Gran Dolina (some 400,000 years old) and in the upper part of the Sima del Elefante (200,000 years old). The raw materials used to make these stone tools come mainly from the nearby fluvial zones and the Sierra itself. The most commonly used rocks include Neogene and Cretaceous flints, quartzite and sandstone,

de producción de los instrumentos de gran formato, sobre todo los bifaces, permite afirmar que los homínidos eran diestros.

Por lo que se refiere a Bases Negativas de 2ª Generación, en algunos niveles debemos destacar la presencia de puntas, raederas y denticulados muy bien configuradas; los soportes suelen ser productos de talla del método centrípeto, unipolar y bipolar recurrente.

El estudio traceológico llevado a cabo en herramientas de este yacimiento indica una baja intensidad de uso, como se corresponde a este tipo de ocupaciones; las pocas identificaciones realizadas indican un uso preferente sobre tejidos de animales, posiblemente para descuartizarlos y descarnarlos. El tipo de configuración y formato se corresponde a esta utilidad.

El Modo 3

Este Modo ha sido localizado en dos yacimientos de la Trinchera del Ferrocarril; en el nivel 10 de la gran Dolina con unos 400.000 años de antigüedad y en la parte superior del yacimiento de la Sima del Elefante con unos 200.000 años de antigüedad.

Las materias primas utilizadas para la confección de herramientas proceden de las zonas fluviales próximas y de la propia Sierra. Las rocas más utilizadas son el sílex neógeno, la cuarcita, el sílex cretácico y las areniscas, mientras que el cuarzo y la caliza solo se usan de forma ocasional.

Quartzite point from level TD10 in the Gran Dolina (Mode 3)
Punta de cuarcita del nivel TD10 de Gran Dolina (Modo 3)

Flint scraper from level TD10 in the Gran Dolina (Mode 3)
Raedéra de sílex del nivel TD10 de Gran Dolina (Modo 3)

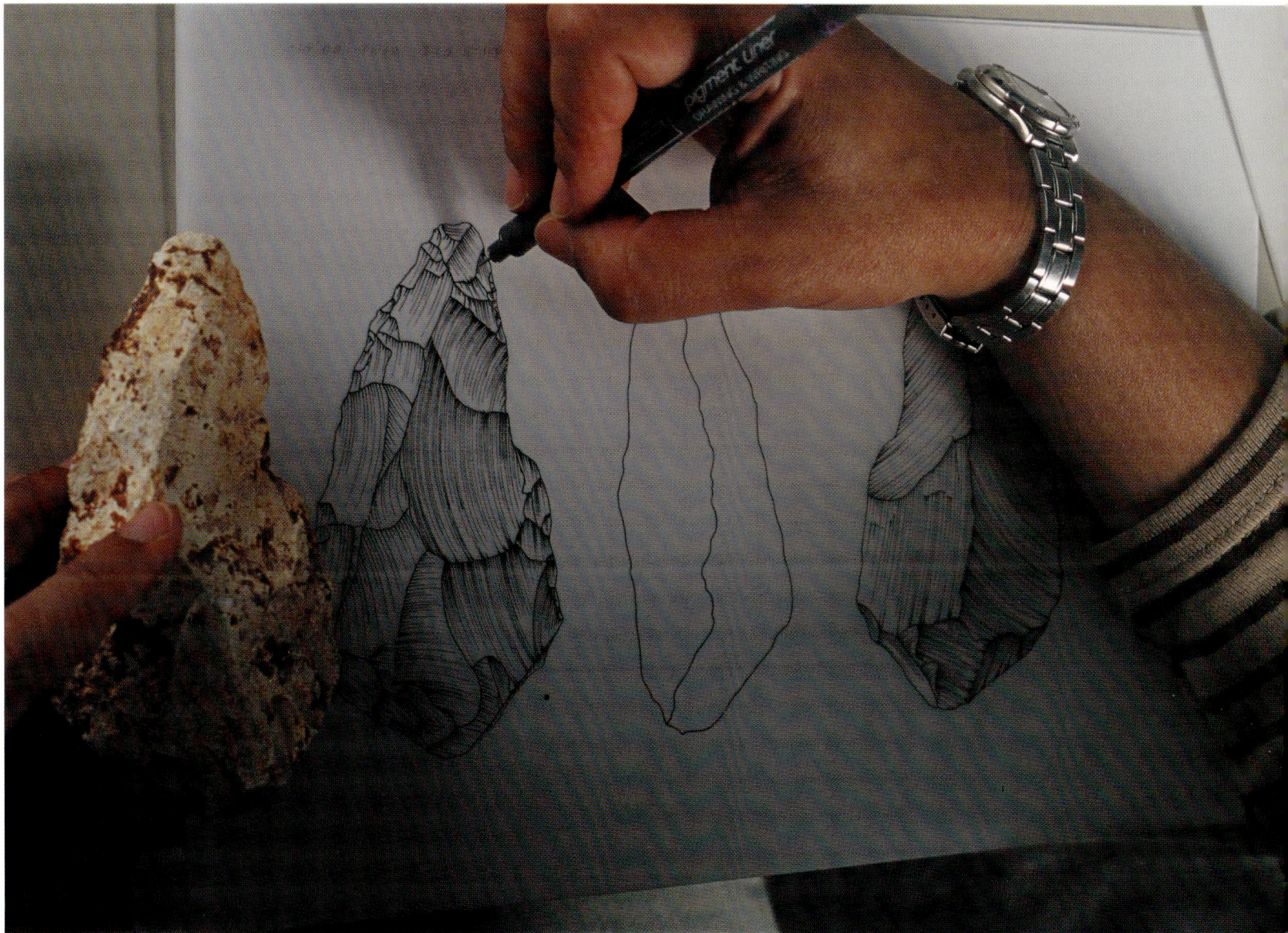

Drawing of a flint nucleus
Dibujo de un núcleo de sílex

while both quartz and limestone are only occasionally used.

In addition to several short-term occupations, level TD10 represents a long-term habitation, possibly a campsite. The stone tools are characterized by centripetal and "Levallois" reduction sequences, in addition to a recurrent orthogonal technique. The reduction strategy was geared toward the production of medium-sized Positive Bases, some of which have been retouched into a wide variety of tool types and morphologies, including scrapers, points and denticulate forms. The use-wear studies of these stone tools suggest that the most frequent uses were on animal flesh and skins as well as plant material.

To date, a Mode 4 technology has not been found in the cavities of the Sierra de Atapuerca. Nevertheless, when the excavations at the sites of el Mirador and Portalón (see chapter 5) pass the Holocene levels, it's possible that we'll find Mode 4 tools in the Pleistocene levels.

El nivel 10 de la Gran Dolina además de un conjunto de ocupaciones de corta duración, presenta un asentamiento estructural de larga duración, posiblemente un campamento. Los sistemas técnicos se caracterizan por la explotación centrípeta y "levallois", además de la ortogonal recurrente. El objetivo es la obtención de Bases Positivas de mediano formato, algunas de las cuales son retocadas para configurar una amplia gama de morfologías, entre las que destacan raederas, puntas y denticulados.

Los estudios de traceología que se han realizado para conocer el uso de dichas herramientas han permitido determinar su función; los trabajos más frecuentes eran sobre pieles y carne así como vegetales. Hasta el momento el Modo 4 no ha sido localizado en las cavidades de la Sierra de Atapuerca, de todas maneras cuando estén más avanzadas las excavaciones del Mirador y del Portalón de Cueva Mayor y se hayan sobrepasado los niveles holocenos es posible que los identifiquemos en niveles pleistocénicos.

The flint stone tools sometimes appear in very bad shape.
Las piezas de industria lítica de sílex a veces aparecen en mal estado

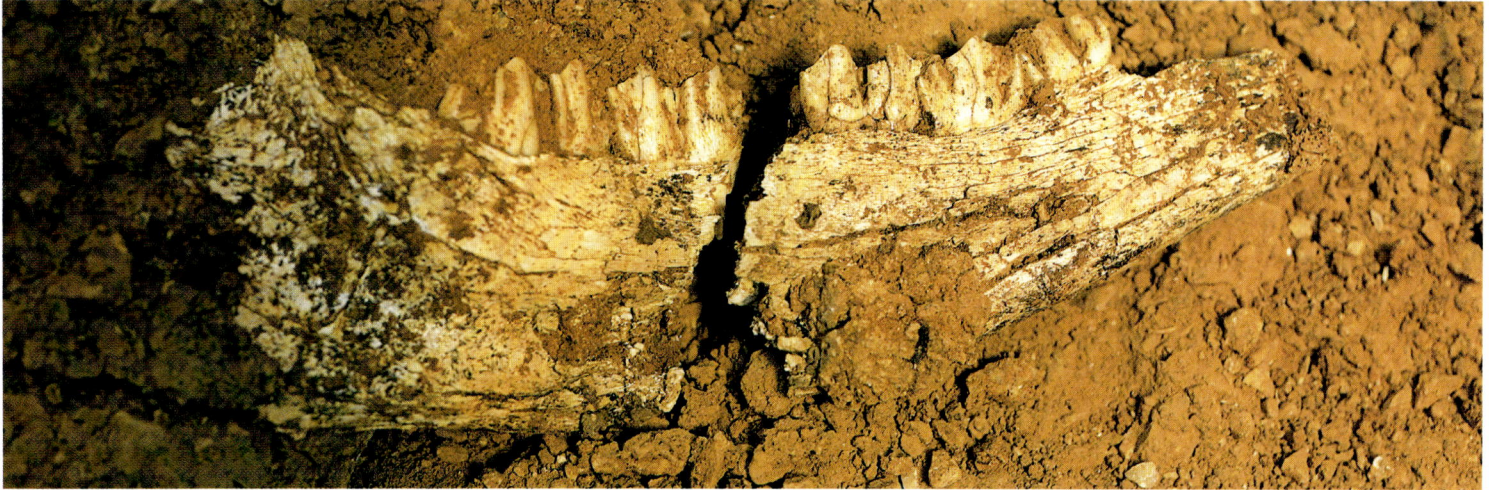

Conclusions

In the Sierra de Atapuerca, we have identified all the stone tool technologies known to occur during the Lower and Middle Pleistocene. The biological evolution of the hominids and the technological change seen in these stone tools allow us to evaluate the complexity of the social communities of these different hominid forms which inhabited Atapuerca throughout the Pleistocene.

The oldest stone tools come from the Lower Pleistocene and are found in the lower levels of the Sima del Elefante, but no human remains have been recovered to date. Only slightly younger (around one million years ago) are the Mode 1 tools from TD4 and TD5, again without associated human remains. Nevertheless, level TD6 has yielded Mode 1 tools with the remains of *Homo antecessor*. Both Mode 2 and Mode 3 date to the Middle Pleistocene. Mode 2 is associated with *Homo heidelbergensis* in both the Sima de los Huesos as well as in the Galería-Covacha de los Zarpazos complex. Finally, Mode 3, some 400,000 years old, is not associated with any human fossils at Atapuerca. In spite of these associations, we don't believe there is a strict correlation between stone tool technology and a particular human species, which suggests that any relation between biology and culture is not pertinent in Atapuerca. Nevertheless, the discovery of human remains in the Sima del Elefante or in the upper levels of the Gran Dolina could force us to re-examine the possibility of such a correlation.

Conclusiones

En la Sierra de Atapuerca hemos identificado todos los modos técnicos conocidos en el Pleistoceno inferior y medio. La evolución y el cambio de los sistemas técnicos nos permiten evaluar la complejidad de las comunidades de los distintos homínidos que habitaron Atapuerca en el transcurso del Pleistoceno.

Los instrumentos más antiguos pertenecientes al Pleistoceno inferior se hallan en los niveles bajos del yacimiento del Elefante en la Trinchera del Ferrocarril, pero hasta el momento no se han localizado restos de homínidos. Pertenecen también a este periodo, aunque más recientes (de alrededor de 1.000.000 de años de antigüedad) los registros de los niveles 4 y 5 de Gran Dolina, en los que tampoco han aparecido fósiles de homínidos. Sin embargo, el Modo 1 se asocia a Homo antecessor en el nivel 6 de la Gran Dolina.

El Modo 2 se halla asociado a *Homo heidelbergensis* tanto en la Sima de los Huesos como en el yacimiento de Galería-Covacha de los Zarpazos. Por lo que se refiere al Modo 3, también con unos 400.000 años de antigüedad, no lo hemos encontrado asociado a ningún fósil de homínido. Tanto el Modo 2 como el 3 se ubican en el Pleistoceno medio.

En nuestra opinión, no existe correlación entre modo técnico y especie, de manera que la asociación entre biología y cultura no parece pertinente en Atapuerca. De todas maneras tendremos que esperar a la localización de restos de homínido en la parte superior de Sima del Elefante o en los niveles superiores de Gran Dolina.

Mandible of a deer from TD10 in Gran Dolina.
Mandíbula de ciervo de TD10 en Gran Dolina

Paleoeconomy of the hominids of the Sierra de Atapuerca

Paleoeconomía de los homínidos de la Sierra de Atapuerca

Food acquisition is the most basic activity for all forms of life. Survival of our human ancestors, like any other living organism, was related to their capacity to extract energy from their environment. Social organization frequently depends on the way individuals organize themselves to obtain food and resources, and this endeavor also underlies much of animal behavior. During the course of our evolution as a biological entity, humans have relied on different strategies of resource acquisition. Our technological capacities have allowed us to take advantage of our environment in different ways than other animals, and the development of specific cultural behaviors has allowed us employ multiple strategies to adapt to a wide variety of ecosystems. Obviously, these cultural behaviors have influenced the kind of diet we have. The different species of Homo have survived by adopting a generalist strategy which allowed them to access resources in any type of ecosystem that existed on the planet. All kinds of plants and animals, vertebrates and invertebrates, form part of the normal diet in the more than two thousand human cultures, spread throughout the continents, which have survived into the 21st Century.

The study of the paleoeconomy of our human ancestors is a basic part of understanding the organizational processes which have developed since the Pliocene to the modern day. However, the fact that there are few sites that preserve plant remains means most studies tend to focus on the faunal remains, and this differential preservation of material presents a serious problem. Nevertheless, at sites where both plant and animal remains have been preserved, valuable information can be obtained on the paleoeconomy of our human ancestors.

Analytical studies which seek to understand these economic processes are based on a wide array of materials, including plant and animal remains, stone tools, and paintings and engravings at archaeological sites. The analysis of pollen and phytoliths indicate which plant species were found in the immediate vicinity of the site and can tell us which species were used by hominids. The presence of human-made cutmarks and fractures of the bones of animal remains during flesh removal and accessing of the bone marrow can explain the hunting techniques and exploitation of animal resources. Further, the analysis of trace elements accumulated in the bones of human fossils from the foods they consumed is fundamental in correctly interpreting the relative importance of plants versus animals in their diet. The use of stone tools on different objects and resources in the environment, such as flesh, skin, wood or soft plants among others, leaves a series of characteristic striations and marks which can be studied both with the naked eye and microscopically to identify what material was manipulated with the tool in question. So far, the information provided by the study of Paleolithic art consists solely of which species of animals coexisted with Homo sapiens, and we only have figurative art representations of Upper Pleistocene fauna. Only by considering all these potential sources of information can we understand the resource acquisition strategies and paleoeconomy of Plio-Pleistocene hominids.

La alimentación constituye la base de todo proyecto de vida; la supervivencia de los homínidos, como la de cualquier ser vivo, está relacionada con la capacidad que tienen para adquirir energía del medio. La organización social frecuentemente depende de la forma en que los individuos se organizan para conseguir alimento y ésta subyace en los hábitos etológicos de todos los animales. En el transcurso de nuestra evolución como entidad biológica, los humanos hemos utilizado diferentes estrategias. Nuestra capacidad tecnológica ha permitido que accedamos a nuestro entorno de una forma distinta a como lo hacen los demás animales y hemos desarrollado comportamientos culturales específicos que nos han permitido desarrollar múltiples estrategias para adaptarnos a los ecosistemas más variados.

Evidentemente, este comportamiento cultural también ha influido en el tipo de dieta. Las distintas especies de *Homo* han podido sobrevivir gracias a su estrategia generalista de manera que en cualquier ecosistema han sido capaces de procurarse alimentos, adaptándose así a todos los que existen en el planeta. Vegetales de todo tipo y animales vertebrados o invertebrados forman parte de nuestra alimentación habitual en las más de dos mil culturas humanas que, repartidas por todos los continentes, llegaron hasta el siglo XX.

El estudio de la paleoeconomía de los homínidos del pasado es básico para poder comprender los procesos de organización que se han desarrollado desde el Plioceno hasta nuestros días. Pero su estudio plantea muchas dificultades: raros son los yacimientos donde se conservan restos de los vegetales; los de animales son más comunes, aunque también hay yacimientos donde los huesos desaparecen. Esta preservación referencial representa un grave problema para los estudios de este tipo. No obstante, en los yacimientos donde la conservación los ha mantenido, se puede extraer una información muy valiosa para conocer la paleoeconomía de los homínidos.

Los vegetales, los restos óseos, las herramientas, los grabados y las pinturas de los yacimientos son el material sobre el cual podemos realizar estudios analíticos que nos ayuden a comprender estos procesos económicos. El análisis polínico, el paleocarpológico y el de fitolitos nos indican qué plantas había en las inmediaciones de los asentamientos y de esta manera podemos identificar cuáles de ellas han podido ser utilizadas. En los fósiles humanos, el análisis de los elementos traza acumulados a partir de los alimentos ingeridos, es fundamental para deducir la importancia del componente vegetal y animal en la dieta de los homínidos.

En los fósiles de los animales, la presencia de origen antrópico de marcas de corte para descarnar y de fracturas para acceder a la médula nos pueden explicar la forma en que se produjeron los procesos de caza y aprovechamiento de los animales ya que ésta queda reflejada en las distintas partes anatómicas

Finalmente, el uso de instrumentos sobre los distintos objetos del entorno deja una serie de estrías y de huellas que pueden ser rastreadas macroscópicamente y microscópicamente y que nos llevan a conocer

The paleoeconomy of the Atapuerca hominids has always been conditioned by their natural environment. Located on a meseta one kilometer above sea level and enjoying a continental climate attenuated by both Atlantic and Mediterranean influences, the Sierra de Atapuerca and its surroundings represents a contact zone between two large ecosystems. Its location in the extreme west of the Corredor de la Bureba (Bureba Corridor) makes the area an important ecotone in which the Mediterranean Sea communicates with the Atlantic Ocean, through the Cuenca del Ebro to the east and that of the Duero to the west. Due to these factors, the Sierra de Atapuerca represents a crossroads that gives it an unquestionable strategic value.

The hominid paleoeconomy can't be understood without reference to the geography and relief of the region. A wide botanical and vegetational diversity is present in the Sierra and its surroundings, which acts as a biological center of attraction. The food web which is generated functions independently of the climate, ensuring that the hominid populations which decide to settle in the area can reliably exploit a diversity of resources. The full exploitation of this environment is the subsistence base of the hominids, as the excavation of different cave sites in the Sierra has demonstrated.

Currently, the landscape is comprised of three complementary components: the high zones, with a low oak forest, a wide area of cultivated fields and the area along the river, with forests developed along its banks. The Sierra de Atapuerca is located in the foothills of the Iberian System of mountains, whose nearby peaks reach some 6,000 feet and which can act as refuge zones in times of climatic change. The geographic situation and the configuration of the landscape determine without a doubt both the biological and cultural diversity and, thus, condition the economic activities of the communities which populated the Sierra at different moments throughout the Pleistocene.

Quartzite trihedral found in Galería
Triedro de cuarcita hayado en Galería

sobre qué materiales concretos (carne, piel, madera, vegetales tiernos...) fue utilizado el instrumento en cuestión.

Hasta hoy la información procedente del arte solo permite conocer las especies animales que han convivido con el *Homo sapiens*; sólo disponemos de arte figurativo con representaciones de fauna en el Pleistoceno superior.

A través del conjunto de registros y de su análisis podemos alcanzar a conocer las estrategias alimentarias de los homínidos. A partir de todo este cúmulo de información se pueden inferir los hábitos paleoeconómicos de las poblaciones del Plio-Pleistoceno.

La economía de los paleopobladores de la Sierra de Atapuerca siempre ha estado condicionada por el medio natural. Situada en una meseta a unos 1000 metros de altura y con un clima de tipo continental, atenuado por las influencias atlántica y mediterránea, la Sierra de Atapuerca y su entorno representan la zona de contacto entre dos grandes ecosistemas. Su situación en el extremo occidental del Corredor de la Bureba configura la zona como un importante ecotono en el que se comunica, a través de la Depresión del Ebro al este y la del Duero al oeste, el mar Mediterráneo con el Océano Atlántico. Por tanto, la Sierra de Atapuerca representa una zona de paso que la convierte en un lugar estratégico incuestionable.

La paleoconomía de los homínidos no se puede entender sin las referencias geográficas y orográficas. En concreto, en la Sierra y zonas colindantes hay una gran diversidad botánica y vegetal que la hacen actuar como un centro de atracción biológico. Las redes tróficas que se generan funcionan independientemente del clima y esto asegura el alimento a las poblaciones de homínidos que decidan instalarse en el territorio. La explotación de todo este entorno es la base de subsistencia de los homínidos tal y como lo han puesto de manifiesto las distintas cavidades excavadas por el equipo.

Actualmente, el paisaje se compone de tres ámbitos complementarios: las zonas altas, con un bosque bajo de *Quercus*, una amplia zona de campos de cultivo y la zona del río, con bosques de ribera bien desarrollados. La Sierra de Atapuerca se encuadra en las estribaciones del Sistema Ibérico, cuyas cimas próximas alcanzan los 2000 metros de altitud y pueden actuar de zona refugio en momentos de cambios climáticos.

La situación geográfica y la configuración del territorio determinan sin ningún género de dudas la diversidad biológica y cultural y, por lo tanto, condicionan las economías de las comunidades que poblaron el territorio de forma diacrónica durante todo el Pleistoceno.

Scavenging, hunting and gathering in the Lower Pleistocene

The study of patterns of tooth wear and marks on the teeth of the earliest representatives of the genus Homo in the Plio-Pleistocene of Africa, indicate that their diet was predominantly omnivorous. The incorporation of meat into the normal diet, then, is an ancient phenomenon which we have inherited from our hominid ancestors. Zooarchaeological and taphonomic studies carried out at these African sites have demonstrated that the first members of the genus Homo practiced the three most basic food procurement strategies. That is, they were scavengers, hunters and gatherers.

In the Sierra de Atapuerca we have been able to approach the food procurement strategies of the Lower Pleistocene hominids through the archaeological record associated with the remains of the species Homo antecessor in level TD6 in the Gran Dolina. Hunting was the most important activity and among the prey species were Equus cf. altidens, Stephanorhinus etruscus, Sus scrofa, Dama nestii vallonetiensis, Cervus elaphus, Euclaceros giulii, and Bison voigtstedtensis. Further, the presence of cutmarks on the remains of Ursus dolinensis means we can't discard the possibility that carnivores were also consumed. There was no apparent size preference for the prey species, and animals of all sizes were exploited. Nevertheless, it's possible that the carcasses of the largest animals were recycled once they had died, which could confirm the existence of occasional scavenging on the part of the hominids. The large animals like rhinoceroses, bison and adult horses seem to have been transported back to the site only after having been butchered and cut into pieces elsewhere, while smaller and medium sized species were transported whole or at least partially complete.

The processing and consumption of the animals took place in the interior of the cave. Level TD6 still preserves the remains of a campsite in which, together with the leftovers from the consumed carcasses, remains of stone tool manufacture for domestic use have been found. The recovery of vestiges of plant remains in the cave, together with fossilized hackberries (Celtys australis) among the remains of the campsite, suggest the importance of both gathering and vegetal products in the diet of the TD6 hominids.

One of the most curious aspects discovered at the site is that the TD6 hominids apparently also consumed other hominids (see chapter 3). The skeletal remains of Homo antecessor show cutmarks and evidence of processing similar to that seen on the faunal remains, and this suggests that the hominid cadavers were treated the same as the small mammals from this level.

Carroñeo, caza y recolección en el Pleistoceno inferior

Los estudios sobre los patrones de desgaste y las estrías en la dentición de los primeros representantes del genero Homo en el Plio-Pleistoceno africano, indican que su dieta era predominantemente omnívora. La incorporación de la carne en su dieta habitual es, por tanto, un fenómeno muy antiguo que los humanos heredamos de homínidos anteriores. Los estudios zooarqueológicos y tafonómicos realizados en esos yacimientos africanos han demostrado que los primeros Homo practicaban las tres estrategias básicas para conseguir alimento, es decir eran carroñeros, cazaban y recolectaban.

En la Sierra de Atapuerca nos hemos podido aproximar a los hábitos alimentarios de los homínidos del Pleistoceno inferior a través del registro asociado a los restos de la especie Homo antecessor del nivel 6 de la Gran Dolina. La caza era su actividad más importante y entre sus presas se encontraban Equus cf. altidens, Stephanorhinus etruscus, Sus scrofa, Dama nestii vallonetiensis, Cervus elaphus, Euclaceros giulii, Bison voigtstedtensis. Tampoco se puede descartar que consumieran carnívoros como Ursus dolinensis, como se demuestra a partir de la presencia de marcas de corte encontradas en los restos esqueléticos de dichos animales.

Las presas no eran discriminadas en función de su tamaño. Sin embargo, es posible que se reciclaran las carcasas de animales de gran envergadura ya muertos, cosa que podría confirmar la existencia de prácticas ocasionales de carroñeo. Los animales grandes como los rinocerontes, los bisontes y los caballos adultos parece ser que eran transportados a los yacimientos después de ser troceados, mientras que los de tamaño pequeño y mediano solían ser transportados total o parcialmente enteros.

El consumo y procesamiento de los animales se producía en el interior de la cavidad. El nivel 6 conserva aún los restos de un campamento en el que, junto a los despojos de aquellas carcasas consumidas, aparecen también los restos de la fabricación de instrumentos de piedra para usos domésticos.

La recolección se pone de manifiesto a partir de la localización de vestigios vegetales en la cueva. Entre los restos del campamento localizado en el estrato Aurora del nivel 6 de Gran Dolina, se han recuperado abundantes frutos fosilizados de almez (Celtys australis). Hasta el momento no tenemos suficientes datos, pero el consumo sistemático de almez por parte de Homo antecessor puede estar sugiriendo la importancia de la dieta vegetal entre estos homínidos y, por tanto, de sus actividades recolectoras.

Uno de los fenómenos más curiosos detectado en este yacimiento es que los homínidos del Estrato Aurora de Gran Dolina también consumieron a otros homínidos. Así lo demuestran los restos esqueléticos de Homo antecessor, bien representados y asociados en uno de los niveles de Gran Dolina. Las intervenciones antrópicas que se realizaron con instrumentos líticos sobre sus congéneres son similares a las dejadas sobre los animales: marcas de cortes, fracturas, raspados... Todas ellas indican que los cadáveres de los homínidos fueron tratados de igual manera que los animales de pequeño tamaño.

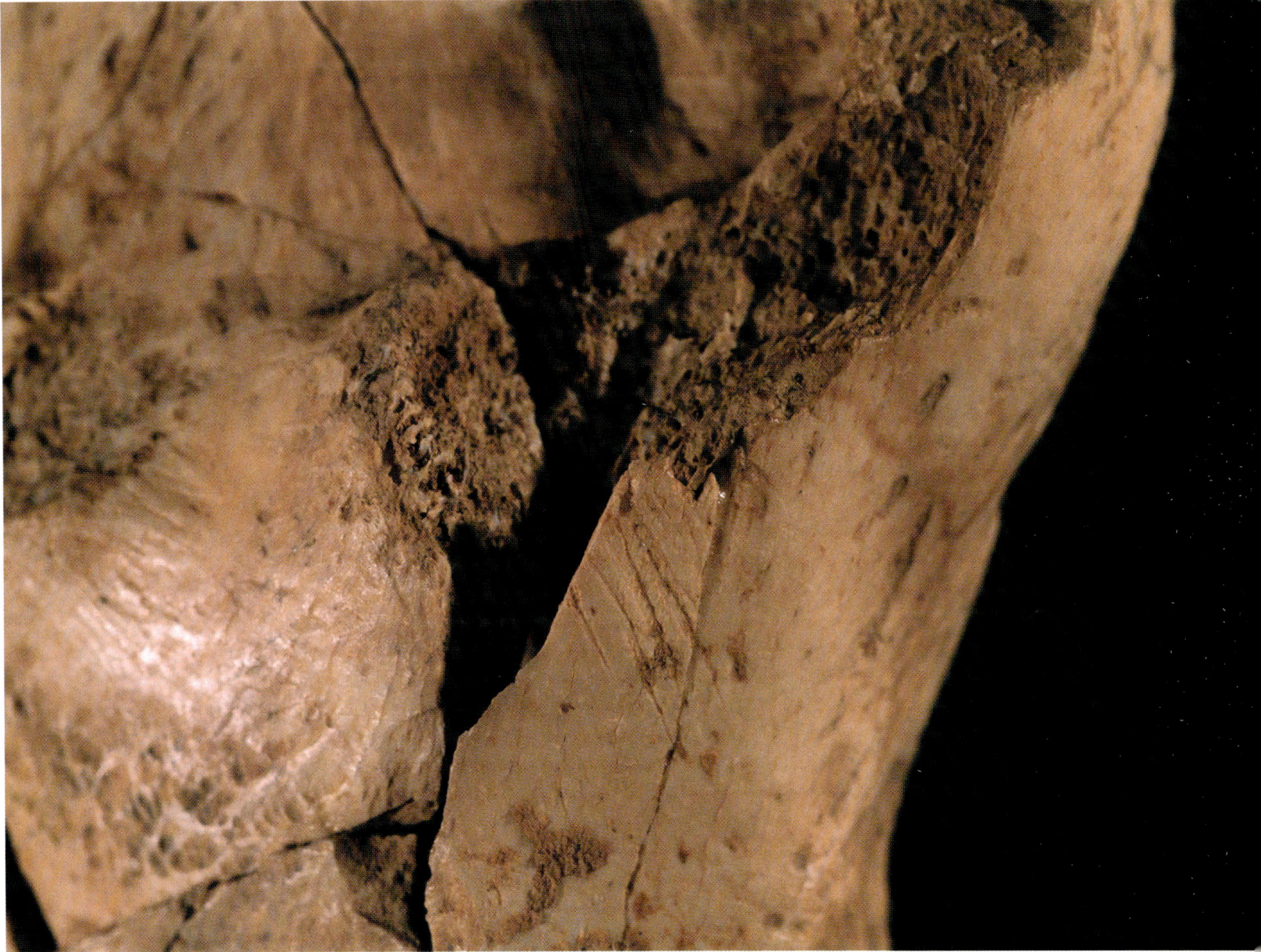

Defleshing marks on a bear bone older than 800,000 years ago.
Marcas de descarnamiento en un hueso de oso de hace más de 800.000 años.

Economic activities in the Middle Pleistocene

A large amount of information on the Middle Pleistocene in the Sierra de Atapuerca has been gleaned from its archaeological sites. The nearly 30 human skeletons which are being recovered from the Sima de los Huesos allow us to analyze their dentition in detail. The large amount of wear on the teeth of these individuals suggests that, like other omnivores, plant foods could represent as much as 80% of their diet.

While fossilized plants haven't been identified at the site, the marks left on the teeth from a lifetime of use allow us to confirm that the plant-based portion of their diet included roots, plant bulbs, seeds and fruit. This suggests that collecting of plant resources must have been a basic activity in these communities.

Hunting and occasional scavenging are documented in the remains from Galería and again ungulates were the most common species consumed: Cervus elaphus, Equus caballus, Stephanorhinus hemitoechus, Dama dama clactoniana and Bison sp.

In general, Galería represents a natural trap for the herbivores of the Sierra de Atapuerca. Attracted perhaps by the lush vegetation which grew out of the limestone fissures formed in the roof of the cave, the most inexperienced or sick animals could have fallen down into the cave at the slightest movement of a frightened herd. The decomposing corpses or the cries of the injured animals would have attracted predators, among which the hominids stand out. The cutmarks and fractures identified on the herbivore bones recovered from Galería suggest that the hominids prepared the corpses for transport back to their campsites located at other sites in the Sierra. They generally took the extremities and some of the heads, leaving behind only the isolated trunk. On the other hand, carnivores, usually canids, normally consumed the remains on the spot, and only rarely removed skeletal parts from the cave.

At the same time, one of these hominid campsites has been identified in level TD10 of the Gran Dolina. Here, a large quantity of bony remains of ungulates such as Equus caballus, Cervus elaphus, Dama dama clatoniana, Stephanorhinus hemitoechus and Bos primigenius has been recovered. A large part of the bones in this level show marks of human activity (such as fractures, scrapes, cuts, blows, etc.) which suggest an intense exploitation of the animals. In contrast to the Galería site, extremities and head parts are abundant in level TD10, while bones of the trunk, such as vertebrae or ribs, especially from the larger animals are rare. This would seem to indicate a transport strategy based on exploitation of the body parts that contain the most flesh. As occurs throughout the Middle Pleistocene, the large animals were quartered outside the cave, probably where they were killed or scavenged, and transported back to the campsite, while small and medium-sized animals were transported practically whole back to the cave.

This differential distribution of activities demonstrates a good degree of group organization. A well-structured economy based on knowledge of the environment, hunting techniques and systematic gathering

Actividades económicas en el Pleistoceno medio

En la Sierra de Atapuerca existe una gran cantidad de información sobre el Pleistoceno medio recopilada a partir de todos sus yacimientos. Los cerca de 30 esqueletos humanos que se están recuperando en la Sima de los Huesos nos permiten analizar minuciosamente su dentición. Gracias a ello hemos observado que en su dieta, característica de un omnívoro, los vegetales podían llegar a representar hasta el 80 por ciento del alimento. Así lo evidencia el enorme desgaste de la dentición analizada del *Homo heidelbergensis*. En el registro no ha sido posible identificar vegetales fosilizados, pero las trazas que se encuentran en la dentición permiten afirmar que la dieta vegetal de estos homínidos estaba repleta de raíces, bulbos, semillas y frutos. Por lo tanto, la recolección debía ser un recurso básico para estas comunidades.

El carroñeo ocasional y la caza están documentadas en los registros del yacimiento de Galería, en la Trinchera del Ferrocarril. Aquí también fueron los ungulados los vertebrados más consumidos: *Cervus elaphus, Equus caballus, Stephanorhinus hemitoechus, Dama dama clactoniana* y *Bison sp.*

En general, Galería representó una trampa natural para los herbívoros de la Sierra de Atapuerca. Atraídos quizás por la vegetación más fresca que se desarrollaba en la entrada de las fisuras del techo de las torcas, los animales más inexpertos o enfermos podían precipitarse al interior de la cavidad con cualquier sobresalto del rebaño. Los cuerpos en descomposición o los berridos de los animales moribundos atraían a los predadores, entre los cuales destacaban los homínidos. Las marcas de corte y las fracturas identificadas en los huesos de los herbívoros de Galería sugieren que los homínidos preparaban los cadáveres para transportarlos hacia sus campamentos situados en otros lugares de la propia Sierra de Atapuerca. Generalmente se llevaban las extremidades y parte de las cabezas, y dejaban en la cueva sólo el tronco aislado. Por el contrario, los carnívoros, habitualmente los cánidos, solían comer allí mismo, y raras veces desplazaron restos de los esqueletos hasta el exterior de la cavidad.

Por el contrario, en los niveles superiores de la Gran Dolina, especialmente en el nivel 10, se ha podido identificar uno de estos campamentos. Allí aparece una gran cantidad de restos óseos de ungulados como *Equus caballus, Cervus elaphus, Dama dama clatoniana, Stephanorhinus*

allowed the human communities to remain during long periods of time in the same cave site where they undertook a wide variety of activities. Knowing the best hunting areas or gathering sites was of fundamental importance for such a long-term occupation. The evidence from TD10, then, shows incipient patterns of sedentarization by highly structured groups, whose strong social cohesion and ease of communication must have allowed them to control their environment which enabled them to remain for long periods of time at the same site.

Plant remains have not been recovered from TD10, and we don't have any evidence about this part of the diet in these hominids. However, it was undoubtedly similar to that of the hominids from the Sima (since the sites are of a similar age) who apparently consumed roots, plant bulbs, seed and fruit as part of an omnivorous diet which also included meat from hunting activities.

Homo heidelbergensis occupied all of the Sierra de Atapuerca complementing their use of caves with open-air sites as well, although we have less information on these latter sites. Their subsistence strategies were varied and ran from hunting and gathering to a type of scavenging which implies a large degree of control over the territory, as in the case of Galería. This division between the use of certain areas as campsites, where animal and plant remains were consumed, and the use of caves which functioned as natural traps providing easy access to prey species without expending much energy, is the result of the activities of complex human groups with a high degree of social structure.

hemiotechus y Bos primigenius. Gran parte de los restos esqueléticos recuperados en este lugar presentan marcas de acción antrópica: golpes, fracturas, raspados, cortes, etc., que sugieren un aprovechamiento intensivo de los nutrientes de los animales. A diferencia del yacimiento de Galería, en el nivel 10 de Gran Dolina son abundantes las extremidades y las cabezas de los animales. Son raros los huesos del tronco (vértebras y costillas), sobre todo en los animales de gran talla, lo que indica una estrategia de transporte basada en el aprovechamiento de las partes con más alto contenido cárnico. Así, como ocurre en todo el Pleistoceno medio, los animales de gran tamaño son troceados en el exterior y transportados al interior de la cavidad, mientras que los de pequeño y mediano tamaño eran transportados prácticamente íntegros. La distribución diferencial de actividades nos muestra una muy buena organización del grupo. Una economía bien estructurada basada en el conocimiento del medio y en la caza y recolección sistemática permitía que las comunidades pasaran largas temporadas asentadas en la misma cavidad donde desarrollaron todo tipo de actividades. Es lógico pensar que lo fundamental era el conocimiento de los territorios de caza y de recolección. Sin ello es imposible instalarse en un lugar durante mucho tiempo teniendo en cuenta las estrategias de los nómadas que cambian de territorio para asegurase siempre los recursos. A raíz de los hallazgos del nivel 10 de Gran Dolina podemos plantear patrones incipientes de sedentarización por parte de grupos muy estructurados. Su elevada cohesión social y su facilidad para comunicarse les debía permitir un control del medio a la vez que les capacitaba para poder pasar largas temporadas en un mismo sitio.

En el nivel 10 no se han localizado restos vegetales. Por este motivo no disponemos de pruebas sobre su dieta vegetal, pero sin duda debe ser similar a la de los homínidos de la Sima de los Huesos, de una antigüedad parecida y para los cuales parece que el consumo de raíces, semillas, bulbos y frutos debía ser la parte más importante de su dieta, complementada con los elementos cárnicos procedentes de las actividades cazadoras.

El *Homo heidelbergensis* ocupa toda la Sierra de Atapuerca usando de forma complementaria las cuevas y los lugares al aire libre, sobre los que disponemos de poca información. Sus estrategias de subsistencia son muy variadas y abarcan desde la caza y la recolección a un tipo de carroñeo que implica un alto control del territorio, como es el caso de Galería. Este complemento entre el uso de zonas como campamentos, en los que se realiza el consumo de carne y de vegetales, y el uso de cavidades que funcionan como trampas naturales y permiten la obtención de presas sin invertir excesiva energía, son el resultado de las actividades de grupos complejos con un alto grado de estructuración social.

Conclusion

During the course of the Pleistocene, hominids occupied the Sierra intermittently, looking to exploit the strategic advantages provided by a relatively high location, where game movements could easily have been controlled, and which represented one of the few natural passageways between East and West on the Iberian Peninsula. The possibility of access to a wide diversity of resources explains the high human impact that the Sierra has experienced throughout the Pleistocene.

The oldest occupations correspond to the Lower Pleistocene, more than 780,000 years ago and are related to Homo antecessor. This omnivorous hominid was a hunter-gatherer who knew his environment well and who occupied the Sierra during a period of relatively mild climate with a Mediterranean landscape that offered a wide diversity of plant species. During this time they took advantage of the Gran Dolina where they established a campsite that was used as a strategic location from which they intervened in the environment. Ungulates were their preferred prey species, although they also collected plant resources. The Aurora Stratum in level TD6 is the only place where vestiges of plant remains which appear to have been for consumption have been recovered. Finally, cannibalism seems also to have been practiced by these hominids. The other species which inhabited the Sierra, this time during the Middle Pleistocene, is Homo heidelbergensis. Hunting of ungulates and gathering of plant foods were the preferred methods of food acquisition. These communities used diverse occupational strategies which included both cave sites as well as open air occupations in the Sierra and ran the gamut from long term campsites to sporadic visits to certain cave sites to remove the corpses of prey species.

300,000 years ago the Sima hominids stalked the herds of bison near the Arlanzón River ▶

Hace 300.000 años los hombres de la Sima debieron acechar a las manadas de bisontes en el río Alanzón

Conclusión

En el transcurso del Pleistoceno los homínidos ocuparon la Sierra de forma intermitente. En ella buscaron beneficiarse de las ventajas que proporcionaba un punto altamente estratégico que representa uno de los pocos lugares de paso naturales entre el Este y el Oeste de la Península Ibérica. La posibilidad de acceso a una amplia diversidad de recursos es el origen del elevado impacto antrópico que sufrió la Sierra durante todo el Pleistoceno.

Las ocupaciones más antiguas registradas corresponden al Pleistoceno inferior, hace más de 790.000 años, y se relacionan con *Homo antecesor*. Este homínido, omnívoro como todos los demás, es un cazador-recolector que conoce bien el medio. Se trata de un momento de mejora climática, donde el paisaje de tipo mediterráneo se asienta ofreciendo a los homínidos una gran diversidad de vegetales. Estos aprovechan entonces la cueva de Gran Dolina donde establecen un campamento temporal que utilizan como lugar estratégico desde el cual acometen su intervención sobre el medio. Los ungulados son sus animales preferidos para el consumo, también practicaban la recolección. Precisamente es el Estrato Aurora del nivel 6 de la Gran Dolina el único lugar que ha conservado en sus sedimentos algún vestigio vegetal que parece destinado al consumo. También aparece documentada la práctica del canibalismo.

La otra especie que se instala en la Sierra durante el Pleistoceno medio es *Homo heidelbergensis*. La caza de ungulados y la recolección eran sus métodos más usuales de obtención de alimentos. Estas comunidades utilizan diversas estrategias ocupacionales que abarcan tanto las cavidades como el exterior de la Sierra de Atapuerca y que van desde los campamentos de larga duración a las visitas esporádicas a las cuevas para extraer cadáveres.

Archaeological sites surrounding the Sierra de Atapuerca

Los yacimientos arqueológicos en el entorno de la Sierra de Atapuerca

Systematic prospections are being carried out in the surrounding areas of the Sierra de Atapuerca to locate open-air archaeological sites. To date, 75 new archaeological sites have been recognized, 50 of which can be clearly assigned to a cultural or geomorphological entity. Some of these have been reused at different times, which implies that the sites weren't chosen randomly. More likely, the presence of water, raw materials, animal migrations, good visibility and an abundance of fruits, among other things, has played an important role in attracting human communities at different times. The sites which can't be ascribed to a specific time period indicate places where hominids had merely a passing presence, and could be located on pathways between different campsites or concentrations. Thus, these undetermined, sporadic sites could be marking the paths of contact and communication between prehistoric peoples.

The Lower and Middle Paleolithic sites are found at both high points as well as low spots and on different substrates. They represent residues of nomadic groups exploiting different environments according to their most basic needs: obtaining raw materials and making stone tools, accessing a water supply, hunting and gathering or places of food consumption.

In the Holocene (10,000 years ago to the present day), the location of different archaeological sites seems to document a concentration of places of semi-sedentary occupation on the valley floors. During this time, the adequacy of the site for agricultural activities is the most important criteria for its location. Although we're still dealing with societies based on a mixed economy of agriculture and livestock as well as hunting and gathering. These settlements would have been formed by family groups during the Neolithic who would become more complex and hierarchical in the Bronze Age.

The open-air sites in the Sierra de Atapuerca and its surroundings are yielding abundant evidence of a continuous occupation during the last 500,000 years, with two climaxes centered during the Middle Paleolithic and among hierarchical societies. This settlement pattern appears to show a clear temporal trend toward the occupation of the lowlands along the riverbanks. While Paleolithic hunters and gatherers exploited diverse terrain, later groups dependent on agriculture and livestock selected the fluvial terraces for the rich fertility of their soils. Compared with the discoveries at cave sites, the open-air sites haven't yielded evidence of the oldest occupations, older than 500,000 years ago, perhaps because there weren't many hominids and their movements

En el entorno de la Sierra de Atapuerca se están realizando prospecciones sistemáticas para localizar yacimientos arqueológicos al aire libre. Hasta la actualidad se han reconocido 75 nuevos sitios arqueológicos, de los que 50 tienen una clara adscripción cultural y geomorfológica: Algunos de ellos han sido reutilizados en distintos momentos, lo que implica que los asentamientos no fueron elegidos al azar. Más bien, la presencia de agua, materias primas, paso para animales, buena visibilidad y abundancia de frutos, entre otros aspectos, han jugado un papel de atracción para las comunidades humanas en diferentes épocas. Los lugares que no han podido adscribirse a momentos concretos nos indican los lugares de tránsito, rutas de paso que conectan los diferentes asentamientos o concentraciones. Desde esta perspectiva, estos espacios con cronología indeterminada, debidamente relacionados, nos marcarán las vías de comunicación de los pobladores prehistóricos. Los yacimientos del Paleolítico inferior y medio se localizan tanto en cotas altas como bajas y en diferentes sustratos. Son los residuos generados por grupos nómadas al explotar distintos ambientes en función de sus necesidades más básicas: obtención de materias primas y confección de útiles, abastecimiento de agua, caza y recolección o lugares de consumo.

En el Holoceno, la situación de los distintos sitios arqueológicos parece documentar una concentración de estaciones de hábitat semisedentarias en los fondos de valle. En este momento la prioridad, a la hora de la elección del territorio, la marcará la adecuación de éste a las labores agrícolas; aunque se trata todavía de sociedades basadas en un sistema de economía mixto, tanto agrícola-ganadero, como cazador-recolector. Estos asentamientos estarían formados por grupos familiares en el Neolítico e irán adquiriendo complejidad y jerarquización en la Edad del Bronce.

Los yacimientos al aire libre de la Sierra de Atapuerca y su entorno están proporcionando abundantes evidencias de un continuo poblamiento, desde hace 500.000 años hasta la actualidad; con dos momentos álgidos centrados en el Paleolítico medio y en las sociedades jerarquizadas. El poblamiento parece mostrar una clara tendencia temporal hacia la ocupación de las vegas de los ríos, descendiendo por tanto de cota los lugares documentados. Mientras los cazadores-recolectores paleolíticos explotaban terrenos diversos, los grupos ganaderos y agrícolas seleccionan las terrazas fluviales por su elevada fertilidad para los cultivos.

En relación a los hallazgos en las cuevas, al aire libre no encontramos

in the surrounding areas were minimal. On the other hand, the Middle Paleolithic, Upper Paleolithic and Epipaleolithic time periods, which are absent in the caves, are well represented at the open-air sites, which implies a higher degree of human activity in the region. With respect to the activities documented during the Pleistocene, it is obvious that caves were used as places of refuge, provisioning and campsites. In the open-air sites, we find areas of stone tool production, observation of the surroundings, hunting and gathering and aggregation sites. The Holocene phases (Neolithic and Bronze Age) also show a clear contrast between these two types of sites, with the caves being places of steady occupation, livestock stables and sanctuaries and the open air sites consisting of workshops, cultivated fields, gathering areas, settlements and funerary monuments (dolmens and burial mounds). O u r preliminary results clearly demonstrate that the cave sites document only one part of the prehistoric occupation of the Sierra. Thus, knowledge of the human groups of the past, as well as the protection of this heritage, should always include information from these different open-air sites as well.

las fases más antiguas, de más del medio millón de años, quizás debido a que el número de pobladores era bajo y el tránsito por el entorno, mínimo. Por el contrario, los periodos del Paleolítico medio, superior y el Epipapaleolítico, ausentes en las cuevas, están ampliamente representados al aire libre, por lo que suponemos mayores tasas de actividad humana en el exterior.

Respecto a las actividades documentadas en el Pleistoceno, vemos que las cuevas son usadas como lugares de merodeo, refugio, aprovisionamiento de animales y campamentos temporales. Al aire libre nos encontramos con talleres donde se fabricaban instrumentos, lugares de observatorio, de caza y recolección y sitios de agregación. Las fases del Holoceno (Neolítico y Edad del Bronce), nos muestran también un claro contraste de evidencias entre los dos ámbitos: las cuevas tienen ocupaciones estables, rediles y santuarios, mientras que al aire libre se encuentran talleres, campos de cultivo y recolección, poblados y monumentos funerarios (dólmenes y túmulos).

Nuestros resultados preliminares constituyen un claro exponente de que los yacimientos en cueva sólo documentan una parte de la ocupación del territorio en época prehistórica. Por ello, el conocimiento de los grupos humanos del pasado y la salvaguarda de su patrimonio, deberá siempre incluir las diferentes estaciones documentada

	Sierra and the Plateaus	Hillside Deposits	FluvialValleys	
Lower Paleolithic	-	-	3	Paleolítico Inferior
Middle Paleolithic	3	5	9	Paleolítico Medio
Upper Paleolithic/Mesolithic	-	1	4	Paleolítico superior/Mesolítico
Neolithic	-	1	9	Neolítico
Chalcolithic/Bronze Age	2	1	12	Calcolítico- Bronce
	Sierra y páramos	Depósitos de ladera	Valles fluviales	

Mode 1

Mode 1 refers to the toolkits known as pre-Oldowan and Oldowan, which were named after Olduvai Gorge (Tanzania) where these tools were first identified. Mode 1 tools date to between approximately 2.5-1.5 million years ago in Africa. During this time period, this technical Mode is the only one known on the planet. It is characterized by the exploitation of igneous and metamorphic rocks to obtain Positive Bases (flakes). The Natural Bases are exploited volumetrically. When a smooth platform is located, the rock is struck, and the process is characterized by recurrent (non-flake) production. When a certain platform is exhausted, another must be found to continue the reduction process. Normally, the support being reduced has a globulous, polyhedric or cubic aspect. At some Mode 1 sites, medium- and large-sized blocks or cobbles have been found modified for use as tools themselves (1GNBC). The goal of Mode 1 technologies is the production of tools with sharp edges to cut animal remains into pieces.

In general, the stone tools are not morphologically complex. Nevertheless, they present a great technical complexity, as demonstrated by their reduction sequence. At the site of Lokalelei (Kenya), more than 40 Positive Bases have been refit, and the reduction sequence has been reconstructed, demonstrating the existence of a long chain of consecutive steps designed to produce standard forms, which obviously requires planning and operational efficiency. This indicates that Mode 1 is a complex technical system, but one that yields only a limited number of different tools.

The oldest sites with a Mode 1 technology are found in Africa and include Lokalelei 2C in West Turkana which dates to 2.4 million years ago and Gona (Ethiopia) in the Middle Awash and Hadar regions with a date of between 2.5-2.3 million years ago. In Eurasia, the oldest known site is that of Dmanisi with Mode 1 tools which are 1.7 million years old. This is also the oldest site found outside of Africa that is associated with remains of Homo.

Modo 1

Nos referimos así al conjunto de herramientas que se conocen como pre-olduvayense y olduvayense. El nombre lo reciben del epónimo Olduvai Gorge, en Kenia el lugar donde se identifico este Modo por primera vez. Localizamos el Modo técnico 1 en África desde hace aproximadamente 2,5 millones de años hasta hace 1,5 millones de años. Durante este periodo de tiempo este Modo técnico es hegemónico en todo el planeta. Se caracteriza por la explotación de rocas ígneas y metamórficas para la obtención de Bases Positivas (lascas). Las Bases Naturales son gestionadas en volumen. La explotación de las Bases Naturales en volumen de las rocas se caracteriza por la producción recurrente o no de lascas (positivos), buscando siempre plataformas lisas donde golpear, cuando una plataforma se agota se busca una nueva para poder continuar el proceso de reducción. Normalmente el soporte que se reduce tiene aspecto globuloso, poliédrico o cúbico. En algunos de los yacimientos del Modo 1 se localizan cantos y bloques de medio y gran formato modificados para el uso directo de los mismos (BN1GC). La finalidad es la obtención de instrumentos con filos cortantes para despedazar animales y conseguir su biomasa.

En general, los instrumentos líticos tienen poca complejidad morfológica, sin embargo presentan una gran complejidad técnica, como lo demuestra la cadena operativa de donde proceden. En el yacimiento de Lokalelei (Kenia) se ha podido remontar una secuencia de explotación de más de 40 Bases Positivas, demostración palpable de la existencia de una larga cadena de gestos consecutivos destinados a obtener morfologías estándar, lo que sin duda requiere planificación y eficiencia operativa. Ello nos indica que el Modo 1 es un sistema técnico complejo pero poco desarrollado a nivel de la producción de morfologías.

Las localidades más antiguas conocidas se encuentran en África, entre ellas destacan: Lokalelei 2C (West Turkana, Kenia), con 2,4 millones de años de antigüedad; Gona en el Middle Awash y Hadar (ambas en Etiopía), con una antigüedad de entre 2,5 a 2,3 millones de años.

En Euroasia el yacimiento más antiguo localizado hasta ahora es el de Dmanisi (Georgia) con industrias líticas del Modo 1 de 1,7 millones de antigüedad. Este registro es además el más antiguo que se ha hallado fuera del continente africano que esté asociado con Homo.

Modo / *Mode* 1

Modo / *Mode* 2

Mode 2

The systems which characterize this technical mode were first discovered at Saint Acheul (France) and are also known as Acheulean, although the oldest sites with Mode 2 are found in Africa. To date, the earliest evidence for a Mode 2 technology goes back to around 1.5 million years ago. While Mode 2 disappears in Africa around 400,000 years ago, in Eurasia it survived until as late as 150,000 years ago. It is characterized by long reduction sequences which produce large Positive Bases whose shape gives rise to a wide array of tools that didn't exist in Mode 1. Tools like the hand axe (biface), which is retouched on both sides, picks, retouched on either one or both sides, and cleavers are the most representative forms. With the appearance of Mode 2, the diversity of the reduction sequences of the Natural Bases also increases. In addition to volumetric exploitation, unifacial and bifacial centripetal and recurrent unipolar and bipolar techniques are also used.

The oldest site with a Mode 2 technology in Africa is Konso Gardula (Ethiopia). The oldest site outside Africa with Mode 2 stone tools is Ubeidiya (Israel), with an age of 1.4 million years ago. In Europe, the sites of Arago and Notarchirico have a Mode 2 technology dating to around 600,000 years ago. As with Mode 1, Mode 2 developed in Europe some 800,000-1,000,000 years after it first emerged in Africa.

Mode 3

The tools which belong to Mode 3 were first recovered in the Dordogne region of France, at the site of Le Moustier, and are also known as Mousterian industries. In Africa, Mode 3 toolkits have been found dating to around 300,000 years ago and are attributed to the Middle Stone Age. Their technical systems are homologous to those of the Mousterian. In Europe, the oldest Mode 3 technology identified comes from level TD10 in the Gran Dolina and dates to some 400,000 years ago.

Thus, Mode 3 emerged in Europe in the middle of the Middle Pleistocene and is characterized by the great variability of the reduction sequence, the disappearance of tools made on large Positive Bases and the great diversity of small and medium-sized tools.

Modo / *Mode* 3

Modo 2

Los sistemas que caracterizan a este Modo técnico fueron descubiertos por primera vez en Saint Acheul (Francia), es por ello que a estas industrias se les denomina también Achelense.

La emergencia de este Modo al igual que ocurre con el Modo 1, se produce en África. Las industrias de este estilo más antiguas que se han hallado hasta el momento se remontan a 1,5 millones de años. Mientras que en África este Modo técnico desaparece sobre los 400.000 años, en el continente euroasiático pervive hasta los 150.000 años. Se caracteriza por largas cadenas operativas con producción de Bases Positivas de gran formato y por su configuración, obteniéndose así un amplio espectro de morfologías inexistentes en el Modo 1. De esta manera, morfologías como los bifaces, tallados por ambas caras, los picos, tallados unifacialmente o bifacialmente, y hendedores son las más representativas en los registros. En el Modo 2 aumenta también la diversidad de métodos en la explotación de Bases Naturales. Además de la explotación en volumen, también están bien representadas la talla centrípeta unifacial y bifacial, unipolar y bipolar recurrente. Hasta ahora la prueba más antigua de la existencia de este Modo está en el yacimiento de Konso Gardula (Etiopía).

Fuera del continente africano, los instrumentos del Modo 2 más antiguos se localizan en Asia en Ubeidiya (Israel), con una cronología de 1,4 millones de años. En Europa son representativos La Caune de I=Arago (Francia) y Nortachirico (Italia) con unos 600.000 años de antigüedad. Al igual que ocurre con el Modo 1 resulta interesante que este Modo se desarrolle en Europa entre 800.000 y 1.000.000 de años después de haber emergido en África.

Modo 3

Las herramientas pertenecientes al Modo 3 fueron localizadas por primera vez en la Dordoña francesa, en el yacimiento de Le Moustier, por eso se les denomina musterienses.

En África se localizan industrias de este tipo con una cronología de cerca de 300.000 años que se atribuyen a la Middle Stone Age, y sus sistemas técnicos son homólogos a lo que aquí se denomina musteriense. En Europa el Modo 3 más antiguo ha sido identificado en el nivel 10 de Gran Dolina con unos 400.000 años de antigüedad.

El Modo 3, por lo tanto, emerge en Europa a mitad del Pleistoceno medio; se caracteriza por la gran variabilidad que presenta la talla, la desaparición de los instrumentos de gran formato tallados sobre Base Positiva y por una gran diversidad de morfologías de pequeño y medio formato.

Our evolutionary lineage is characterized by a large brain and by the production of objects (tools) to obtain energy from the environment. Without exception, all species of the genus Homo have been stone tool makers, and a brain with an increasingly developed cortex and upper limbs adapted for new biomechanical functions are responsible for the changes which have occurred in the social organization of human primates during the course of evolution.

The production and systematic use of tools has, without a doubt, shaped the forms of socialization among hominids. The way in which food is obtained allows for new forms of consumption and food sharing, and new forms of social cohesion appear. In other words, the production and systematic use of tools resocializes the primate and leads it down the path to humanization.

We propose that the complexity of the technical systems of tool production is the determining factor behind behavioral changes in hominids. Cultural behavior emerged through tool making and socialization, and the most important evolutionary advances in the genus Homo wouldn't have been possible without an operational intelligence. In our opinion, without the feedback loop between the brain and the hands which is produced through tool production, it would be impossible to imagine how humans could have developed other sophisticated behaviors like language or complex symbolic behavior.

The organization of technical systems of tool production played a decisive role in the reconfiguration of the different areas in the human brain while at the same time influencing the socialization of individuals from different communities of all the species in our genus.

In sum, the evolutionary process in the genus Homo is a consequence of our unique adaptation to the environment.

The manipulation of objects

he basis of the progress in operational intelligence in our evolutionary line can be found in the abilities our hominid ancestors acquired through the manipulation of objects in the environment to carry out specific functions. Natural selection should favor the most capable individuals during both self-defense and when showing authority within the social group. In this sense, extra somatic capabilities benefited those individuals who used them best, which produced an extension of these new operational behaviors to the point that they became essential to group survival. The most technically advanced communities were more successful.

We have shared the capacity to manipulate objects with other biological orders, genera and species throughout our evolutionary history, but these abilities haven't been basic elements of their survival. Nevertheless, for our genus, they have, and it's impossible to think of a human community that doesn't possess at least some form of elemental tool.

The manipulation of objects is an activity that requires a certain capacity of association but doesn't necessitate complicated behaviors or training. It is learned and transmitted mainly through imitation. Nevertheless, the use of tools to produce other tools does require a certain capacity for logic and reasoning, which can only be found in brains with more developed cortical areas. Operational intelligence is only found in the genus Homo, and without it the development of the social complexity we now exhibit would have been impossible.

Nuestro linaje se caracteriza por tener un cerebro de gran tamaño y por la producción extrasomática de objetos para obtener energía del entorno. Todas las especies del género Homo sin excepción han sido productoras de instrumentos líticos, por lo tanto, un cerebro con un córtex cada vez más desarrollado y unas extremidades superiores adaptadas a funciones biomecánicas nuevas son las responsables de los cambios que han tenido lugar en la organización social de los primates humanos en el transcurso de la evolución.

La producción y el uso sistemático de instrumentos configuran sin duda las formas de socialización de los homínidos. La manera como se obtiene el alimento posibilita nuevas formas de consumo y reparto del mismo y, por lo tanto, aparecen nuevas formas de cohesión social, o sea, la producción y uso sistemático de herramientas resocializan al primate y lo conducen por el sendero de la humanización.

Nosotros hemos planteado que la causa determinante del cambio de la etología de los homínidos se ha de buscar en la evolución de la complejidad de los sistemas técnicos de producción de instrumentos. A través de la fabricación de los instrumentos y su socialización emerge el comportamiento cultural. Las grandes adquisiciones del género Homo no hubieran sido posibles sin la inteligencia operativa; en nuestra opinión, sin la retroalimentación que se produce entre cerebro y manos al confeccionar herramientas sería imposible imaginar como los homínidos humanos pudieron desarrollar otras adquisiciones como el lenguaje o el comportamiento simbólico complejo.

La forma de organizar los sistemas técnicos para la producción de instrumentos interviene de forma decisiva en la reconfiguración de las áreas de nuestro cerebro a la vez que influye de forma efectiva en la socialización de los individuos de las distintas comunidades de todas las especies de nuestro género.

En resumen, el proceso evolutivo del género Homo es una consecuencia de su forma tan singular de adaptación al medio.

La manipulación de objetos

Seguramente la base del progreso de nuestra inteligencia operativa se encuentra en la capacidad que nuestros antepasados homínidos adquirieron gracias a la manipulación de objetos de nuestro entorno para realizar distintas funciones. La selección natural debía jugar a favor de los más capaces a la hora de defenderse y mostrar su autoridad en el grupo. En este sentido, la capacidad extrasomática benefició a los individuos que la poseían en mayor grado y este fenómeno produjo una extensión de los nuevos comportamientos operativos hasta convertirlos en esenciales para la supervivencia del grupo. Las comunidades más desarrolladas técnicamente tuvieron más éxito.

Si bien a lo largo de nuestra evolución hemos compartido la facultad de manipular objetos con otros ordenes, géneros y especies, sabemos que estas propiedades no han sido básicas para su supervivencia, pero sí que lo han sido y lo son para nosotros, para nuestro género; es imposible pensar en una comunidad humana que no disponga de instrumentos por elementales que sean.

La manipulación de objetos es una actividad que necesita cierta capacidad de asociación pero que no precisa de comportamientos y adiestramientos muy complicados, se aprende por imitación y se extiende por este mismo sistema. Sin embargo, la producción de instrumentos con otros instrumentos ya requiere una cierta capacidad de razonamiento y de lógica que solo se pueden encontrar en cerebros con la zona cortical más desarrollada. La inteligencia operativa solamente se da en el género Homo, y sin esta hubiera sido imposible la adquisición de complejidad social de la que ahora disponemos.

The production of lithic objects

Technical management and manipulation of rocks by primates to fashion stone tools requires a series of clearly complicated abilities. The most important of these are: 1) Planning of the processes; 2) Visualization of the processes before undertaking them; 3) Formalization of the processes and their subsequent standardization; 4) The capacity for empirical management of the mental processes; 5) The systematic use of extra somatic materials in all processes of resource acquisition.

Without these abilities it is impossible to establish a technical system for stone tool production. This is the unique characteristic which defines the human primate and which establishes our rank within the primate order. The production of a particular lithic morphology, or end product, is the result of a long chain of actions, also known as the reduction sequence, which culminate in the desired form, and the process ends with the use of the object produced. Nevertheless, this isn't always the case, and in a completely developed technical system there are stone tools which are not used.

The technical process which produces tools consists, as we have already commented, of a long chain of mental and physical actions. First, once the set of tools needed to carry out a certain activity is established according to their structure and function, the raw materials needed must be gathered from the environment. In most cases, these are transported to the campsite or an area of tool production where it is modeled through percussion or projection following a pre-established mental scheme.

In this way, the raw materials or rocks form Natural Bases (NB), which are directly exploited to form objects, 1st Generation Negative Bases (1GNBC). Alternatively, they can be exploited to form a 1st Generation Negative Base for Exploitation (1GNBE) and, subsequently, to obtain a wide repertoire of Positive Bases (PB) or flakes. These Positive Bases, in turn, can be modified or not to obtain a concrete form, 2nd Generation Negative Bases (2BNG). The use of the object for different activities is the end of the chain. This production sequence relies on the same logic as the assembly lines of modern factories, and we should recognize that a certain level of structural complexity in our technical system has existed since the first species of the genus Homo.

The different toolkits of Lower and Middle Pleistocene hominids have been classified into a series of technical modes, Mode 1 through Mode 3, which are correlated with an increase in complexity and variation in tool production processes and use.

La producción de objetos líticos

La gestión técnica de las rocas por los primates para obtener sus herramientas necesita una serie de capacidades ciertamente complicadas. A nuestro entender, las más importantes son: 1) La planificación de procesos; 2) La visualización de los procesos antes de realizarlos; 3) Formalización de los procesos y como consecuencia su estandarización; 4) La capacidad de gestión empírica de los procesos mentales; 5) El uso sistemático de materiales extrasomáticos en todos los procesos de adquisición de energía. Sin las capacidades citadas es imposible establecer un sistema técnico en la producción de herramientas líticas; esta es la singularidad que define al primate humano y que le da una jerarquía dentro de su propio orden. La producción de una morfología lítica determinada parte de un largo encadenamiento de acciones hasta llegar a conseguir la forma deseada, y el proceso termina con el uso del objeto producido; en el caso de un sistema técnico que se desarrolle completamente no siempre es así y por este motivo existen herramientas que no son utilizadas.

El proceso técnico que permite la producción de instrumentos consiste, como ya hemos comentado, en una larga cadena de acciones mentales y físicas. En primer lugar, una vez establecido el conjunto de herramientas que se necesitan para desarrollar una actividad de acuerdo con su estructura y función, se debe proceder a la captación de materias primas en el entorno. Después, en la mayoría de los casos, se trasladan a las zonas de talla o campamentos, y a continuación empieza su modelado por percusión o por proyección siguiendo el esquema mental preestablecido.

De esta manera las materias primas o rocas en forma de Bases Naturales (BN), son explotadas directamente para configurar objetos, Bases Negativas de 10 Generación (BN1G C) o para ser explotadas como Bases Negativas de 10 Generación de Explotación (BN10GE) y obtener un amplio repertorio de Bases Positivas (BP) o lascas. Las Bases Positivas a su vez pueden o no ser modificados para obtener morfologías concretas, Bases Negativas de 20 Generación (BN20G). Al final de la cadena está el uso del objeto para actividades diversas. Esta cadena operativa tiene la misma lógica que la del trabajo en serie de las factorías modernas; y deberíamos reconocer que existe un nivel de complejidad estructural en nuestro sistema técnico desde la primera especie de nuestro género.

El aumento de complejidad y su variación en los procesos de producción y uso de instrumentos han permitido su clasificación en una serie de modos que de forma correlativa, van del 1 al 4.

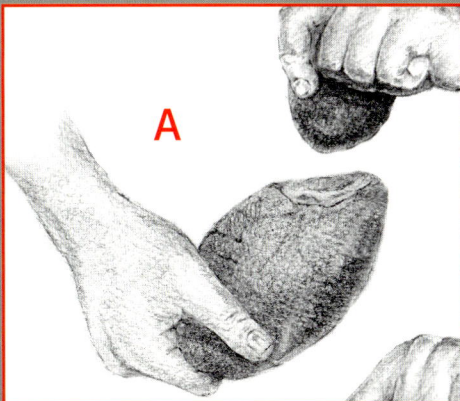

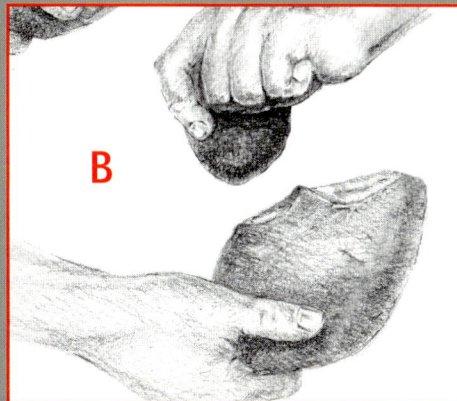

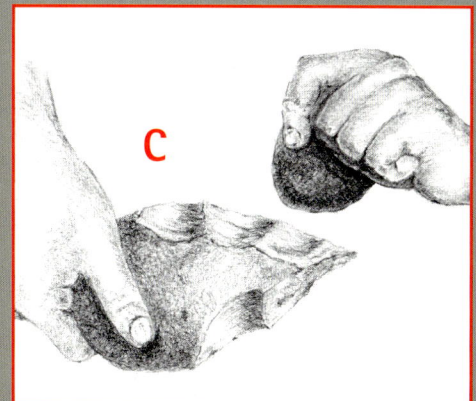

AT5

**Recent Prehistory
in the Sierra de Atapuerca**

**La Prehistoria reciente
de la Sierra de Atapuerca**

...ty-five years of research and excavations in the Sierra
...tapuerca have allowed scientists to vividly and precisely
...nstruct the landscape, flora and fauna during different
...ents of the Pleistocene.

Veinticinco años de excavaciones e investigación en la
Sierra de Atapuerca han permitido a los científicos
reconstruir los paisajes, la flora y fauna de distintos
momentos del Pleistoceno con precisión y viveza.

The establishment of the Neolithic in the northern Meseta was a slow process and was brought about through colonization of the region by people who arrived from the south, settling on its southern and eastern borders and using the caves as living areas. They also used them as places of collective burial in the face of the advancing Megalithic cultures from the Atlantic region of the Iberian Peninsula. The intensification of the economy during the Copper Age produced the first attempts at establishing nuclei of stable populations. This sedentarization process implies large changes in the economy, with agriculture and livestock becoming increasingly important, as well as in technology, material culture and demography. In the far east of the Cuenca del Duero, where we find the Sierra de Atapuerca, this process maintained a continuity with the Neolithic population. Later, an internal renovation toward a hierarchical society would occur, with the consolidation of individual tombs and the appearance of objects of prestige among the household items.

The Bronze Age in the Meseta, like the rest of the peninsula, is characterized by an increase in archaeological sites which document a predominantly sedentary lifeway, are situated in defensive locations, and in which the raising of livestock and agricultural production increase with the population size. We are witnessing a society which is becoming increasingly socially hierarchical, while maintaining a certain continuity with previous traditions. Caves also continue to be used as living areas, funeral places and sanctuaries with artistic representations on the walls. The Sierra de Atapuerca, and Cueva Mayor in particular, is an excellent example which combines all these functions. The Portalón, the entrance to Cueva Mayor, was a living area where ritual sacrifices have also been documented in the "Horse Deposit" from level 71. The Galería del Sílex constitutes a genuine Sanctuary, and funerary rituals, cave art and a large quantity of items which speak to symbolic celebrations during the Bronze Age have been recovered. The rest of the galleries in Cueva Mayor (Galería de las Estatuas, Galería Baja and Galería del Silo) preserve, in addition to funerary elements and cave art, abundant storage silos which give a functional and economic character to this setting. The end of this period, some 2,800 years ago, represents a definitive rupture with the cultural traditions initiated during the Neolithic, finally abandoning caves as living areas and everything else associated with them.

El proceso de neolitización en la Meseta septentrional es lento y fruto de la colonización de gentes llegadas del sur, que se asientan en su borde meridional y oriental y que utilizan las cuevas como hábitat. Además las utilizan también como lugar de enterramiento colectivo, frente al avance del megalitismo que viene del Atlántico peninsular. Con la intensificación de la economía, durante la edad del Cobre se producen los primeros intentos de fijación de núcleos de población estable. Este proceso de sedentarización, lleva implícitos grandes cambios económicos (aumentan la ganadería y la agricultura), en la tecnología, en la cultura material y en la demografía. En el extremo oriental de la Cuenca del Duero, donde se encuentra la Sierra de Atapuerca, constatamos que se trata de un proceso que mantiene la continuidad con el poblamiento neolítico en cuevas. Posteriormente se producirá una renovación interna hacia una sociedad más jerarquizada, con la consolidación de las tumbas individuales y la aparición de objetos de prestigio entre los ajuares.

La Edad del Bronce en la Meseta, al igual que en el resto peninsular, se caracteriza por un incremento de yacimientos que muestran formas de vida predominantemente sedentarias, situados en emplazamientos defensivos, en las que se siguen incrementando tanto la producción agrícola y ganadera como la población. Estamos ante una sociedad en la que se está acelerando el proceso de jerarquización social, aunque manteniendo cierta continuidad con las tradiciones precedentes. También se conserva el uso de las cavidades como lugar de asentamiento, como espacio funerario o como santuarios con arte rupestre. En este sentido el conjunto de la Sierra de Atapuerca, y Cueva Mayor en particular, es un exponente excepcional que aúna todas estas funciones. Un lugar de ocupación en el Portalón de entrada, donde además se han documentado sacrificios rituales en el «Depósito de Caballos» del nivel 71. La Galería del Sílex se constituye en un auténtico santuario en cuyo interior se han localizado rituales funerarios, arte rupestre y gran cantidad de elementos que nos hablan de celebraciones simbólicas durante la Edad del Bronce. Por su parte el resto de las galerías de Cueva Mayor (Estatuas, Baja y Silo) se caracterizan por presentar, además de elementos funerarios y de arte rupestre, abundantes silos de almacenamiento, que dan un carácter funcional y económico a este conjunto. El final de este periodo, hace unos 2800 años (BP), va a representar la ruptura definitiva con la tradición cultural iniciada en el Neolítico, al abandonar definitivamente los hábitats en cuevas y el mundo que las rodea.

◄ The dolmens near the village of Atapuerca demonstrate the presence of humans during Neolithic times.
Los dólmenes cerca del pueblo de Atapuerca son una muestra de la presencia humana durante el Neolítico.

The Portalón of Cueva Mayor

El Portalón de Cueva Mayor

The Sierra de Atapuerca is world famous for its Pleistocene sites, but it also contains more recent treasures. The Portalón of Cueva Mayor is a cave entrance situated some 1,040 meters (about 3,100 feet) above sea level and has been incompletely filled by external sediments. The archaeological site is formed of Holocene (10,000 years ago- present day) sediments and could have functioned as an occupation area throughout the Upper Pleistocene (128,000-10,000 years ago). Geophysical studies have demonstrated a sedimentary potential of at least nine meters in depth. The archaeological sequence documented so far corresponds to cultural phases which run from the Eneolithic to the Roman period. The Bronze Age is well documented at this site, but the archaeological record for this time period in the northern Meseta is weak, which makes its excavation and study in the Portalón all the more significant.

G. A. Clark, an archaeologist from the University of Arizona who was interested in prospecting the Upper Paleolithic sites in the northern Meseta, undertook a small excavation in the Portalón in 1972, unearthing an important stratigraphic sequence more than two meters deep. Clark's interest in the site, lead J. Mª Apellániz, of the Universidad de Deusto, to develop a research project in Cueva Mayor during which he carried out 11 field seasons of systematic excavations in the Portalón (between 1972-1983), the results of which are currently under study.

Beginning with the most modern levels and proceeding to the oldest, the following archaeological sequence has been documented:

An occupation during the Lower Roman Empire which reaches a thickness of 30 cm (about a foot) whose archaeological remains would date to the fourth century AD.

Beneath this, the Final Bronze Age occupations were long and the thickness of the level oscillates around 60 cm (about two feet) with dates that are between 900 BC ± 50 years for the most modern phases and around 1,220 BC ± 130 years for the older phases. It is characterized by the presence of pottery decorated with the Boquique technique. Further below, the Middle Bronze Age occupations are also of long duration but less intense, and the only date we have is 1,450 BC ± 50 years. During this time both smooth pottery and pottery ornamented with external surface decorations stand out. From these levels we should emphasize the presence of an important deposit of horse remains, which suggests sacrificial rituals.

Below this are the Early Bronze Age occupations, and this level is very thin, with a reduction in the intensity of the occupation. Carenated pottery, often undecorated, as well as sharp burins and Brújula type punches made from metal and bone have been recovered from this level. These occupations date to 1,690 BC ± 50 years. At the base of the sequence, the presence of fragments of campaniform vessels predicts a more intense Eneolithic occupation below.

The Portalón opens to the south in the high part of the Sierra and the valley of the Arlanzón River is easily dominated from here. It was nearly

La Sierra de Atapuerca es mundialmente famosa por sus yacimientos Pleistocenos, pero también encierra tesoros más recientes.

El Portalón de Cueva Mayor es una entrada de cueva situada a unos 1.040 metros de altitud y que no ha llegado a colmatarse por aportes externos. Contiene un yacimiento formado por sedimentos Holocenos y pudo funcionar también como cavidad habitable durante todo el Pleistoceno superior. Estudios geofísicos han mostrado una potencia sedimentaria de al menos 9 metros. La secuencia arqueológica documentada hasta el momento se corresponde con fases culturales que van desde al menos el Eneolítico hasta la Romanización. La Edad del Bronce es una época muy bien documentada en este yacimiento pero de la que no existe un buen registro en la Meseta Norte, lo que hace trascendente su excavación y estudio.

G. A. Clark, investigador de la Universidad de Arizona, interesado en prospectar los yacimientos del Paleolítico Superior de la Meseta Norte, realizó en 1972, una pequeña excavación en el Portalón de Cueva Mayor y exhumó una importante secuencia estratigráfica de más de 2 m de profundidad. El interés de ésta indujo a J. Mª Apellániz, de la Universidad de Deusto, a desarrollar un proyecto de investigación en Cueva Mayor en el que se efectuaron 11 campañas de excavaciones sistemáticas en el Portalón (entre 1972 y 1983) y cuyos resultados están estudiándose en la actualidad.

Partiendo de los niveles más modernos hasta los más antiguos, se registra la siguiente secuencia arqueológica:

Una ocupación del Bajo Imperio Romano que alcanza un espesor de 30 cm y cuyo registro arqueológico se dataría en el siglo IV d.C. Por debajo, las ocupaciones del Bronce Final son largas y el espesor del nivel oscila en torno a los 60 cm. con fechas que están entre el 900 a.C. ± 50 años para las fases más modernas y en torno al 1.220 a.C. ± 130 años para las fases más antiguas. Se caracteriza por la presencia de cerámica decorada con la técnica del Boquique.

Más abajo, las ocupaciones del Bronce medio son también largas pero de menor intensidad y la única fecha de que se dispone es la de 1.450 a.C. ± 50 años. En esta época destacan las cerámicas lisas y las decoradas con aplicaciones. De estos niveles podemos resaltar la presencia de un importante depósito con restos de caballos, que hace referencia a rituales de sacrificio.

Por debajo están las ocupaciones del Bronce Antiguo, de poco espesor y densidad, en las que aparecen cerámicas carenadas y muy poco decoradas, así como los punzones tipo brújula en metal y en hueso. La fecha de que se dispone para estas ocupaciones es la de 1.690 a.C. ± 50 años. En la base de la excavación se hallan restos de vasos campaniformes que permiten predecir un horizonte Eneolítico más intenso.

El Portalón de entrada a la Cueva Mayor se abre hacia el sur en la parte alta de la Sierra y desde ella se domina el valle del río Arlanzón. Hace casi 4.000 años B.P. que las gentes de la Edad del Bronce

Bone arrowhead
Punta flecha tallada en hueso

Excavation in the Portalón in Cueva Mayor
Excavación en el Portalón de Cueva Mayor

4,000 years ago when Bronze Age peoples began to occupy the cave, remaining there during nearly 800 years and leaving behind a remarkable record of their activities. They were magnificent artisans and artists who richly decorated their pottery, using burins and spatulas made from bone or bronze. Their economy was based on tending their animal flocks, agriculture and, to a lesser degree, hunting. Arrow points, buttons, necklace beads and diverse tools of varying sizes made from bone, antler or ivory have been recovered at the site. There are also abundant faunal remains representing both domesticated and wild species (horse, deer, cow, goat, boar, beaver and a few birds).

The Portalón is also a site of the future. During the Upper Pleistocene the two most famous human species established themselves in Europe, the Neandertals (Homo neanderthalensis) which occupied Europe and the Middle East, and the Cro-Magnons (Homo sapiens), who originated in Africa. We know the Neandertals were present near the Sierra de Atapuerca, since they occupied other caves in the province of Burgos (Cueva Millán, La Ermita, Valdegoba and La Blanca). The site of Portalón is an ideal place to search for traces of their possible presence in Atapuerca, since it was habitable during the Upper Pleistocene. The Neandertals lived in the region during this entire time period, only disappearing some 30,000 years ago, coinciding with the arrival of modern humans. We might also find traces of them at Atapuerca, but to reach them we first have to excavate many meters of more modern sediments. In beginning the excavation of our personal time tunnel, we hope the Portalón of Cueva Mayor can reveal some of the pages of human history that still remain hidden in the heart of the Sierra de Atapuerca.

comenzaron a ocuparlo y permanecieron allí durante casi ochocientos años dejándonos un valiosísimo registro de sus actividades. Eran magníficos artesanos y artistas que decoraban ricamente su cerámica, utilizando punzones y espátulas fabricadas en hueso o bronce. Su economía se basaba en el pastoreo, la agricultura y, en menor grado, la caza. Se han recuperado, talladas en hueso, asta o marfil: puntas de flecha, botones, cuentas de collar y diversas herramientas de varios tamaños. Además hay muchos restos de fauna doméstica y salvaje (caballo, ciervo, vaca, cabra, jabalí, castor y algunas aves).

El Portalón es también un yacimiento para el futuro. Durante el Pleistoceno superior se consolidan los dos tipos humanos mejor conocidos, los Neandertales (Homo neanderthalensis) que habitaron Europa y el próximo Oriente y que son descendientes directos de los hombres del Pleistoceno Medio, y los Cromañones (Homo sapiens), que procedían ,originariamente ,de África. Sabemos que los neandertales estuvieron muy cerca de la Sierra de Atapuerca y habitaron otras cuevas burgalesas (Millán, La Ermita, Valdegoba, La Blanca). El yacimiento del Portalón es un lugar ideal para buscar los vestigios de su posible paso por Atapuerca, ya que era un lugar habitable durante el Pleistoceno superior. Los Neandertales vivieron aquí durante casi todo este período de tiempo; en realidad se extinguieron hace tan sólo 30.000 años, justo en el momento en que los cromañones, nuestros antepasados directos, llegaron a esta parte del mundo desde África, donde habían aparecido hace unos 200.000 años. Quizá también encontremos sus vestigios en Atapuerca, pero para llegar hasta ellos antes habrá que excavar muchos metros de sedimentos más modernos. Al iniciar la excavación de nuestro particular túnel del tiempo, esperamos que El Portalón de Cueva Mayor pueda desvelarnos algunas de las páginas de la historia de la humanidad que aún permanecen ocultas en las entrañas de la Sierra de Atapuerca.

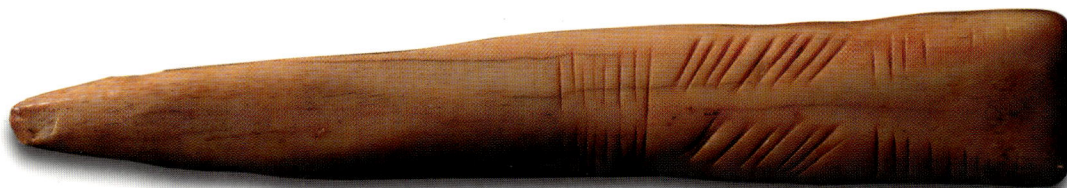

Bone awl
Punzón tallado en hueso

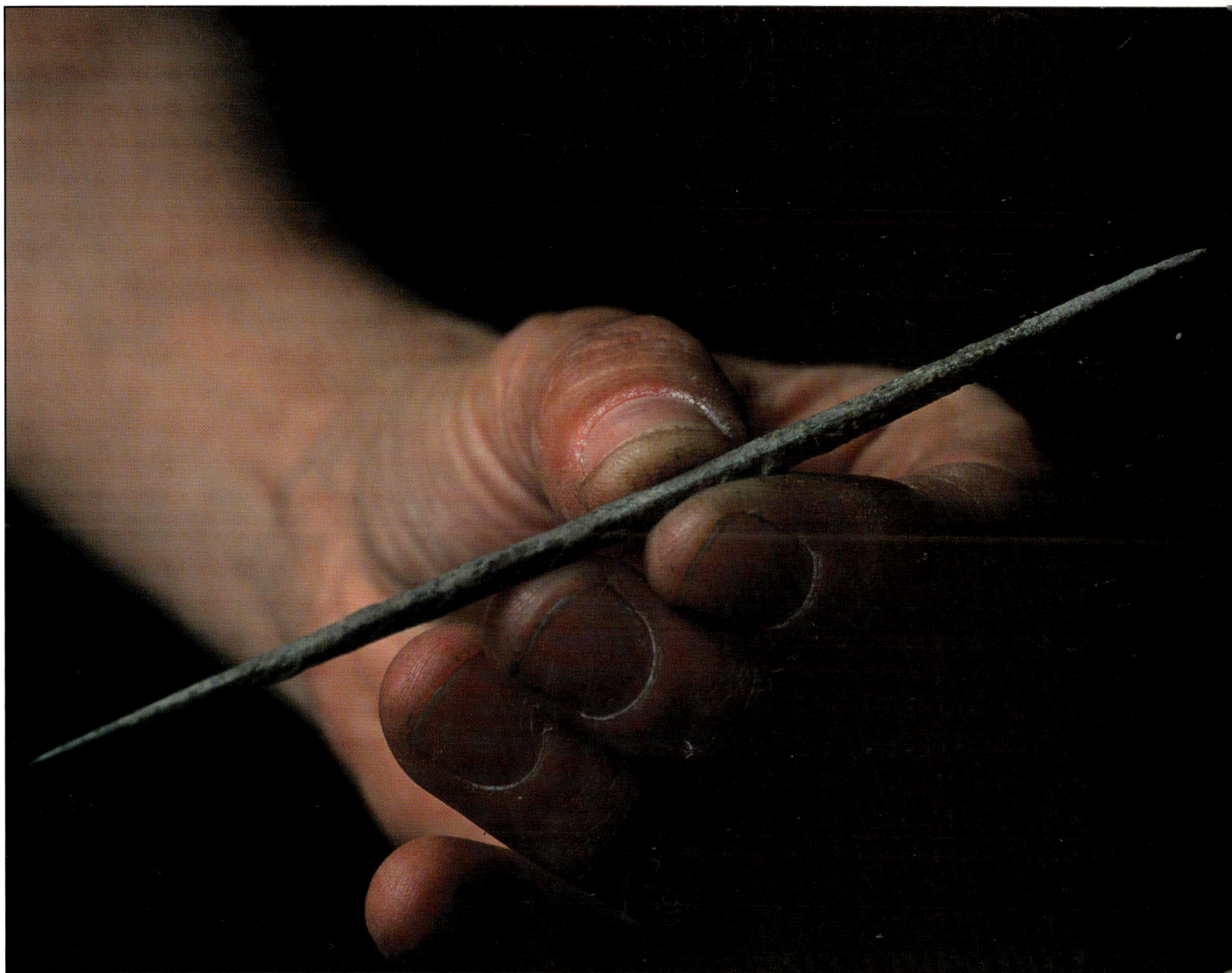

Bronze axe
Hacha de bronce

Excavation in the Cueva del Mirador
Excavación en la Cueva del Mirador

The Cave of El Mirador

Bronze Age occupations have also been documented in the cave of El Mirador, and radiometric dates of the site exist for the uppermost level (3,040 ± 40 years ago), the base of the sequence (3,400 ± 40 years ago) and for a collective burial (3,670 ± 40 years ago). The sediments indicate the site was repeatedly used during the Middle Bronze Age as a livestock corral. The stratigraphic sequence is primarily a product of the accumulation of animal excrements and straw, and the periodic burning of these residues, at the site of their deposition, leaves a clear layer of ash. The flock would have been primarily composed of sheep and goats, with swine, cattle and horses making up a smaller percentage of the livestock. These flocks would typically graze in the nearby pastures. Nevertheless, the presence of burned vegetable fibers, most likely straw, in the burnt corral levels, could represent either remains of the beds for the livestock or food for the herds. It's possible that some of the plant species identified in the analysis of fossilized carbon at the site were brought to the cave to be used as fodder at times when adequate pastures were scarce or when the animals couldn't leave the cave to graze, or even to feed sick animals or young individuals who were stabled until they reached a certain age. Dogs are also among the domestic species identified at the site, and they could be responsible for the bite marks found on some of the animal bones.

Nevertheless, raising livestock wasn't the only economic activity in these communities. The presence of carbonized cereal grains, as well as tiny sharp flint flakes used as teeth for a sickle, indicate agricultural practices whose principal crops were probably cereals. The resources provided by livestock and agriculture were complemented by hunting of wild species such as wild boar, deer and rabbits, and probably by the gathering of plant products as well, both for human consumption as well as feeding the livestock. Although the areas excavated so far are basically formed from the residues derived from the use of the cave as a corral, this isn't the only activity documented at El Mirador. The presence of artifacts which can be linked to domestic activities, as well as the fact that many of the animal bones recovered show cutmarks and fractures which can be related to their exploitation as a food resource and with culinary practices, leads us to believe that the living area of the group was very likely in another area of this same cave. The presence of living areas in the same place as livestock corrals or stables is a common practice, documented both archaeologically and ethnographically, in many herding communities and in different time periods up to the present day.

The items of material culture which dominate the collection from El Mirador include various types of pottery, although flint stone tools and a bronze axe with edgework (reborde) have also been recovered. Most of the pottery shows smooth surfaces, with a few examples of polished ceramics. The clay was well chosen and was fired in an environment without oxygen. The degreasing agents are somewhat varied, and they preferred using calcite and quartz and in lower frequencies mica, ground pottery and plant elements. The ceramic sample from the site is dominated by simple forms of pottery, including bowls, globular pots and very tall vases, while more complex forms are represented exclusively by carenated cups

La cueva del Mirador

En la cueva de El Mirador también se han documentado ocupaciones correspondientes a la Edad del Bronce y se dispone de dataciones radiométricas de su techo: 3.040 ± 40 BP, de su base: 3.400 ± 40 BP, y de una inhumación colectiva: 3.670 ± 40 BP. Los sedimentos indican que la cueva fue utilizada reiteradamente durante el Bronce Medio como redil para el ganado. La sucesión estratigráfica es producto básicamente de la acumulación de excrementos de origen animal y de paja, y de la quema periódica de estos residuos, en el mismo lugar de deposición, que deja un claro nivel de cenizas. El rebaño estaría compuesto principalmente por ovejas y cabras, mientras que el ganado porcino, vacuno y caballar completaría la cabaña ganadera en menor proporción. La alimentación del ganado se llevaría a cabo mediante el pastoreo. No obstante, la presencia de restos de fibras vegetales calcinadas, muy probablemente paja, en los niveles de corral quemados, pueden representar restos de las camas del ganado dentro de la cueva o de comida para el rebaño. Es posible que algunas de las especies vegetales identificadas en el estudio de los carbones fósiles fueran aportadas a la cueva para ser usadas como forraje en momentos en que escaseara el pasto o en que el rebaño no pudieran salir a pastar, o bien para alimentar a individuos enfermos o crías que podían estar estabuladas hasta cierta edad. Entre las especies domésticas identificadas también se encuentra el perro, que podría ser el responsable de las marcas de mordedura halladas en algunos de los restos óseos de animales. Sin embargo, el registro arqueológico nos indica que la ganadería no era la única actividad productiva de estas comunidades. La presencia de granos de cereal carbonizados, así como de dientes de hoz realizados en sílex, señalan la realización de prácticas agrícolas en una línea básicamente cerealista.

Los recursos aportados por la ganadería y la agricultura se complementan con la caza de especies salvajes como el jabalí, el ciervo y el conejo, y probablemente con la recolección de productos vegetales, tanto destinados al consumo humano como a la alimentación del rebaño. Pese a que, en la zona interesada por la excavación, el sedimento está formado básicamente por residuos derivados del uso de ese espacio como redil, no es éste el único uso que se dio a la cavidad. La presencia en el registro de artefactos que podemos vincular a actividades de tipo doméstico, así como el hecho de que muchos de los huesos de animales recuperados presenten marcas de corte y fracturas que pueden relacionarse con su aprovechamiento alimenticio y con prácticas culinarias, hace pensar que la zona de hábitat del grupo se encontraba verosímilmente en otro lugar de la cueva. La coincidencia entre lugares de hábitat y rediles o lugares de estabulación del ganado, documentada tanto arqueológica como etnográficamente, es una práctica común en muchas comunidades ganaderas y en diferentes periodos históricos hasta la actualidad.

Los elementos de cultura material dominantes en el registro son los de tipo cerámico, si bien también se ha recuperado industria lítica en sílex, y un hacha de bronce de rebordes. La mayor parte de las cerámicas presentan superficies alisadas y, en algunos casos, bruñidas. Las pastas, generalmente han sido bien decantadas y muestran una cocción en ambiente reductor. Los desgrasantes ofrecen una cierta variedad: utilizan preferentemente calcita y cuarzo y en menor medida mica, cerámica machacada y elementos vegetales.

En el conjunto cerámico predominan las formas simples, entre las que

and "S"-shaped profiles. The majority of the ceramic collection is smooth, although imprinted decorations are also documented, including simple motifs such as horizontal lines or triangles as well as external surface decorations in the form of multiple cords with impressions.

El Mirador was also used at certain moments as a burial site, and a pit with the remains of at least six individuals of both sexes and diverse ages was found in the cave. Some parts of the skeleton were missing from this accumulation, and the remains show evidence of manipulation prior to burial, probably related to some type of funerary ritual. This ritual would have included the defleshing of the bones with a sharp instrument, fracturing of the long bones and a particular treatment of the skulls, which consisted of separating the braincase, that produces what is known in the literature as skull cups (cráneos copa). The date of 3,670 ± 40 years ago obtained by directly dating one of the human bones is older than the level where the pit was found. If these data are correct, this would seem to indicate that it represents a secondary burial of remains removed from an older interment.

destaca la presencia de cuencos, ollas globulares y vasos con gran desarrollo en altura, sobre las compuestas, representadas exclusivamente por tazas carenadas y perfiles en "S". La mayor parte del muestrario cerámico es liso, si bien se documentan decoraciones impresas, con motivos muy sencillos como líneas horizontales , triángulos y aplicaciones plásticas en forma de cordones de carácter múltiple con impresiones sobre su superficie.

La cueva de El Mirador también fue utilizada en algunos momentos como cueva sepulcral, tal y como demuestra el hallazgo en su interior de una fosa con restos humanos pertenecientes a un mínimo de seis individuos de ambos sexos y de diversas edades. En la acumulación no están presentes todos los huesos ni se hallan representadas todas las partes del esqueleto. Los restos humanos muestran evidencias de haber sufrido una manipulación previa al enterramiento, relacionada muy probablemente con algún tipo de ritual funerario. Dicho ritual incluía el descarnado de los huesos con un instrumento cortante, la fracturación de los huesos largos y un tratamiento específico de los cráneos, consistente en la separación del neurocráneo, dando lugar a los conocidos en la bibliografía como "cráneos copa". La fecha de 3670 ± 40 BP, obtenida de la datación de uno de los huesos humanos de la acumulación, es más antigua que la del nivel donde se excavó la fosa, lo que indica, si los datos son correctos, que se trata de una inhumación de tipo secundario, efectuada con restos recogidos de un enterramiento más antiguo.

The Galería del Sílex and prehistoric cave art in the Sierra de Atapuerca

Cueva Mayor, and in particular the Galería del Sílex, contains an important collection of prehistoric paintings and engravings which the Atapuerca Research Team has been prospecting, documenting and studying since 1997. The entrance to the Galería del Sílex was sealed by a collapse at the end of the Bronze Age (2,800-2,700 years ago). In 1972, the Grupo Edelweiss de Burgos discovered a narrow passage between the blocks sealing the entrance, which provides access to the cave. Access to the Galería del Sílex is difficult but worth the effort. The spectacular stalagmitic formations preserved in pristine condition confer a peculiar beauty on the cave. The sealing of the original entrance during the Final Bronze Age means that the anthropological and archaeological record, at least for the most recent activities carried out in the cave, are still conserved in situ on the surface of the floor and are in an exceptional state of preservation.

Work carried out in the 1970's and 80's documented an incredibly rich material culture as well as the presence of human remains. Among the lithic materials were hammer stones, flint nodules (which derive from a flint source deep inside the cave at the very end of the gallery) leaf points and small flakes used in sickles. Bone points were also present, as well as bone fragments of both domestic animals (horses, sheep, goats, cows, pigs and dogs) and wild species (deer, wild boars, bears, foxes, wildcats, rabbits and hares). Further, the remains of at least 25 individuals, including eight adults, five juveniles and twelve infants, were also found, as were nine stone circles, and three silos. A large structure made from clay and broken stalagmites was apparently constructed to store water, since it is associated with an area of water filtration and dripping. Finally, the ceramic collection from the site shows decorations and forms which document a continuous occupation of the Galería del Sílex from Neolithic times (6,500-6,300 years ago) to the end of the Bronze Age (2,800-2,700 years ago).

A large collection of iconographic images (nearly 400 motifs on 53 different panels) is preserved on the walls of the Galería del Sílex, consisting mainly of engravings, but with black and red drawings also represented. Generally these consist of abstract linear and geometric forms, including both simple grids and some with lateral appendages, simple lines, rows of dots, tree shapes, sun shapes, comb shapes, zigzags and wavy forms, among others. Anthropomorphic forms and, in lower numbers, representations of humans and schematic animal forms are also present.

Based on stylistic similarities with some of the pottery recovered at the site, radiometric dates of the figures drawn in carbon and the typology of the motifs, these artistic representations in the Galería del Sílex were created over a wide time period, related to the successive occupations of the site, and run from Neolithic times to the end of the Bronze Age. Comparing the archaeological finds from the Galería del Sílex with those made in other sectors of the Cueva Mayor cave system can help us interpret the activities carried out at this site. The Portalón, at the

La Galería del Sílex y el arte rupestre prehistórico en la Sierra de Atapuerca

Cueva Mayor contiene un importante conjunto de manifestaciones prehistóricas rupestres pintadas y grabadas entre las que destacan las de la Galería del Sílex. Desde 1997 el Equipo de Investigaciones de la Sierra de Atapuerca está llevando a cabo trabajos de prospección, documentación y estudio del arte rupestre en todo el sistema de cuevas. La entrada a la Galería del Sílex quedó obstruida por un derrumbamiento en las postrimerías de la Edad del Bronce (2.800-2.700 B.P.) y era desconocida hasta que en 1972 el G.E. Edelweiss descubrió un acceso entre los bloques que sellaban la entrada. El acceso a la Galería del Sílex es dificultoso y se caracteriza por la peculiar belleza que confieren los diferentes tipos de formaciones calcíticas. El cierre de la entrada original desde el Bronce Final motivó que el registro antropológico y arqueológico, al menos de las últimas actividades llevadas a cabo en su interior, se conservara in situ en superficie y en un estado de conservación excepcional.

Los trabajos, realizados entre los años 70 y 80, documentaron un lote de evidencias líticas (percutores, nódulos de sílex -producto de la explotación de una cantera de sílex situada al final de la Galería-, puntas foliáceas, un elemento de hoz, etc.), de hueso trabajado (principalmente elementos apuntados), de fragmentos de huesos de fauna doméstica (caballo, oveja, cabra, vaca, cerdo, perro) y salvaje (ciervo, jabalí, oso, zorro, gato montés, liebre y conejo), de restos humanos de al menos 25 individuos (8 adultos, 5 juveniles y 12 infantiles), al menos 9 círculos de piedras, 3 silos, 1 gran estructura construida con arcilla y espeleotemas rotos para el almacenamiento de agua (asociada a una zona de filtración y goteo) y un amplio repertorio de fragmentos cerámicos cuyas formas y decoraciones evidencian una ocupación ininterrumpida de la Galería desde el Neolítico (6.500-6.300 B.P.) hasta el Bronce Final (2.800-2.700 B.P.).

En las paredes de la Galería del Sílex se documentó un amplio corpus iconográfico (casi 400 motivos) de pinturas negras y rojas y principalmente grabados distribuidos en 53 paneles. La temática se compone de formas lineales y geométricas (retículas simples y con apéndices laterales, parrillas, trazos simples, puntos formando hileras, arboriformes, soliformes, pectiniformes, tectiformes, zigzags, ondulados, etc.) asociadas a la estética abstracta, formas antropomorfas y en menor número representaciones humanas y de animales de carácter esquemático.

Los momentos de ejecución de las representaciones artísticas de la Sierra de Atapuerca, establecidos por las relaciones estilísticas existentes entre motivos decorativos de las cerámicas y grafías rupestres, por la datación radiométrica de figuras pintadas con carbón y por la tipología de los motivos, representan un espectro temporal amplio, relacionado con las ocupaciones de la Galería del Sílex, abarcando desde momentos neolíticos hasta el Bronce final.

En la Sierra de Atapuerca el análisis contextual de las evidencias arqueológicas ayuda a definir la naturaleza funcional de los diferentes

entrance to the cave system, was clearly a living area, and both current and previous excavations have documented a rich material culture. A series of subterranean galleries (Galería de las Estatuas, Galería Baja y Galería del Silo) preserve numerous excavated pits interpreted as storage silos, a limited sample of graphic representations and a poor and unevenly distributed material record. In general, the graphic representations are located in the same areas as the excavated pits, and this association differs from that found in the Galería del Sílex. Although we don't know the precise significance of this association in the galleries of Cueva Mayor, it suggests a different meaning for the anthropic activities carried out here. In the Galería del Sílex, the ceramic collection, the iconographic representations and the human remains, some of which were burials, clearly stand out.

The association and spatial distribution of the lithic, osseous, paleontological, ceramic and anthropological remains as well as the artistic representations in the Galería del Sílex clearly indicate an archaeological record which is unrelated to economic activities. The makeup of this collection of material is not similar to the pattern typically found in a living area. The fact that fragments of the same ceramic vessel were found at dispersed points within the cave indicates that the spatial distribution of the pottery at the site is the result of deliberate breakage and placement of the vessels and their fragments by humans. The distribution of the human remains in small groups also indicates a secondary placement of the bodies. Some of these groups were formed of incomplete skeletons of several individuals, and one of the skulls shows scrape marks which demonstrate a prior treatment of the bodies before their final placement in the interior of the cave. All of these phenomena point to extensive funerary practices in which collective burials and ritual, as witnessed by the ceramic destruction and artistic representations, must have played an important role. In this sense, the archaeological record from the Galería del Sílex clearly indicates that this site represented a genuine Sanctuary for Bronze Age humans. Finally, at the base of the slopes of the Sierra de Atapuerca two Neolithic dolmens are still preserved, one of which has been excavated, although there are references to the existence of a set of three or four. One of these was excavated and announced by J. L. Uribarri in the early 1970's, who left three tombstones of the main chamber exposed. In the 1990's, G. Delibes, M. Rojo and J. Palomino continued this work, discovering the entire chamber as well as the passageway that led to it. Like most of the dolmens in this area, this was an authentic funerary monument made up of a burial mound some 25 meters (75 feet) in diameter and nearly two meters (6 feet) tall. A passageway leads to the center of the circle, where the funeral chamber is located and the dead were laid to rest with various grave offerings, including flint knives and arrowheads, smooth pottery and, sometimes, necklace beads or lithic or bone elements of personal adornment.

sectores subterráneos y a acercarse a la interpretación de su arte rupestre. Cueva Mayor se caracteriza por la existencia de una zona de hábitat situada en el Portalón de entrada y por una serie de galerías, en donde destacan (Galería de las Estatuas, Galería Baja y Galería del Silo) la abundancia de hoyos excavados, una pequeña representación de manifestaciones gráficas y un registro material, en general pobre y desigualmente distribuido. En Cueva Mayor las grafías existentes se localizan en aquellos sectores donde se realizaron hoyos, si se exceptúa el Salón del Coro. Esta asociación es diferente a la detectada en la Galería del Sílex y, a pesar de no conocer su significado, muestra una intencionalidad desigual en la agrupación de las evidencias antrópicas. n la Galería del Sílex destacan el conjunto cerámico, las muestras iconográficas y los restos humanos, algunos de ellos pertenecientes a inhumaciones.

La asociación y la distribución espacial de las evidencias líticas, óseas, paleontológicas, cerámicas, antropológicas y artísticas de la Galería del Sílex ponen de manifiesto un registro arqueológico desvinculado de actividades de carácter económico. Este reducido conjunto no muestra un patrón asimilable a yacimientos con registros de habitación. El estudio de las cerámicas indica una dispersión espacial (fragmentos cerámicos de un mismo recipiente se encontraban en diferentes puntos de la cavidad), que evidencia la intervención antrópica en la fracturación de las vasijas en el interior de la Galería y su posterior deposición. La distribución de los restos humanos en pequeños grupos muestra la existencia de una deposición secundaria de los cuerpos: algunos de los grupos estaban formados por esqueletos incompletos de varios individuos; además, se ha señalado en uno de los cráneos la existencia de raspados antrópicos, lo que evidenciaría un tratamiento previo de los cuerpos antes de su deposición última en el interior de la Galería. Todos estos elementos apuntan a la realización de actividades relacionadas con el mundo funerario y donde el carácter colectivo de los enterramientos y el ritual (cerámicas y arte principalmente) hubieron de jugar un papel importante, aceptándose de este modo el término de Santuario para la Galería del Sílex.

Además al pie de las laderas de la Sierra de Atapuerca se conservan dos dólmenes neolíticos, uno excavado y otro intacto, aún cuando hay noticias y referencias de la existencia de un conjunto de tres o cuatro. Alguno de estos fue dado a conocer por J.L. Uribarri quien exhumó uno de ellos en los primeros años de la década de los 70, dejando al descubierto tres losas de la cámara. Posteriormente, en los años noventa, G. Delibes, M. Rojo y J. Palomino continuaron los trabajos hasta descubrir toda la cámara, estando pendiente de reconocer el posible corredor o pasillo. Como la mayoría de los dólmenes conocidos en la zona, se trata de un auténtico monumento funerario constituido por un gran túmulo de 25 m de diámetro y de cerca de 2 m de altura. De uno de sus extremos parte un pasillo que conduce al centro del círculo donde se localiza la cámara funeraria, depositándose aquí los difuntos junto con algunas ofrendas (cuchillos y puntas de flecha de sílex, cerámicas lisas y en el mejor de los casos, cuentas de collar o elementos pétreos u óseos para adorno).

nature
INTERNATIONAL WEEKLY JOURNAL OF SCIENCE
New fossil hominids from Spain
Opening and filling of carbon nanotubes
Lysozyme and systemic amyloidosis
Abrupt end to the Younger Dryas cold event
EN ESPAÑOL
Discover
ALZHEIMER
NUEVOS TELESCOPIOS
COMEN TIERRA
¿Nuestro antepasado?
Alle radici dell'uomo
MUNDO CIENTIFICO
LA RECHERCHE
Hombre y mono
Atapuerca: nuestro antecesor
Clima y meteorología en Internet
ABC Cultural
ATAPUERCA
CUNA DE LOS PRIMEROS EUROPEOS
Discovering Archaeology
The First EUROPEAN
EL FIGARO magazine
ASI ERA LA VIDA DEL HOMBRE
NATIONAL GEOGRAPHIC
Neandertals
evolução humana
ETHNOLOGIA
bild der wissenschaft
Der spanische Ahne
HISPANIA NOSTRA
Discover
Is This the Face of Our Past?
ronda IBERIA
POUR LA SCIENCE
L'évolution de l'homme
natura
El Mundo en que Vivimos
HISTORIA DE ATAPUERCA
¿QUIÉN ERA ESTE HOMBRE?
Ciencia
ATAPUERCA
SCIENCES ET AVENIR
La grande histoire de l'homme
LA VANGUARDIA
MAGAZINE
KENIA
ORCE
ATAPUERCA
Discover
1993
THE TOP 50 SCIENCE STORIES
LA RECHERCHE
LA SCIENCE DU TEMPS
LES HOMMES FOSSILES DE LA SIERRA DE ATAPUERCA
ARCHAEOLOGY
AMERICANS IN EGYPT
TREASURE OF THE SIERRA ATAPUERCA
ARCHAEOLOGY
VIRTUAL BONAMPAK
IMAGING MAYA ART
Blanco y Negro
EXCLUSIVA MUNDIAL
Homo antecessor
EL ESLABÓN ENCONTRADO
SPECCHIO
c'era una volta in europa
EL PAIS
EL PRIMER EUROPEO
Un rostro de 300.000 años
MUNDO CIENTIFICO
Atapuerca: HOMO ANTECESSOR
Ecco il primo uomo d'Europa
Ha 800 mila anni d'età

Bibliography / Bibliografía

Arsuaga J.L., Lorenzo C., Carretero J.M., Gracia A., Martínez I., García N., Bermúdez J.M., Carbonell E.*(1999). A complete human pelvis from the Middle Pleistocene of Spain. Nature , 255-258.*
Arsuaga J.L., Martínez I., Gracia A., Carretero J.M., Carbonell E. *(1993). Three new human skulls from the Sima de los Huesos site in Sierra de Atapuerca, Spain. Nature 362, 534-537.*
Arsuaga J.L., Bermúdez de Castro J.M., Carbonell E. eds. *(1997). The Sima de los Huesos Hominid site. J. Hum. Evol. 33 Special Issue.*
Ascenzi A., Mallegni F., Manzi G., Segre A.G. & Segre Naldini E. *(2000). A re-appraisal of Ceprano calvaria affinities with Homo erectus, after the new reconstruction. J. Hum. Evol. 39, 443-450.*
Asfaw B., Gilbert W.H., Beyene Y., Hart W.K., Renne P.R., WoldeGabriel G., Vrba E. & White T.D. *(2002). Remains of Homo erectus from Bouri, Middle Awash, Ethiopia. Nature 416, 317-320.*
Bermúdez de Castro J.M., Arsuaga J.L., Carbonell E., Rosas A., Martínez, I. & Mosquera M. *(1997). A hominid from the Lower Pleistocene of Atapuerca, Spain: possible ancestor to Neandertals and modern humans. Science 276, 1392-1395.*
Bermúdez de Castro J.M., Carbonell E. & Arsuaga J.L. eds. *(1999). Gran Dolina Site: TD6 Aurora Stratum (Burgos, Spain). J. Hum. Evol. 37, Special Issue.*
Bermúdez de Castro J.M., Rosas A., Carbonell E., Nicolás E., Rodríguez J. & Arsuaga J.L. *(1999 c). A modern human pattern of dental development in Lower Pleistocene hominids from Atapuerca-TD6 (Spain). Proc. Natl. Acad. Sci., USA 96, 4210-4213.*
Carbonell E. & Rodríguez X.P. *(1994). Early Middle Pleistocene deposits and artefacts in the Gran Dolina site (TD4) of the "Sierra de Atapuerca" (Burgos, Spain). Hum. Evol. 26, 292-311.*
Carbonell E., Bermúdez de Castro J.M., Arsuaga J.L., Díez J.C., Rosas A., Cuenca-Bescós G., Sala R., Mosquera M. & Rodríguez X.P. *(1995). Lower Pleistocene hominids and artifacts from Atapuerca-TD6 (Spain). Science 269, 826-830.*
Carbonell, E., Mosquera, M., Rodríguez, X.P., Sala, R. & Van der Made, J. *(1999). Out of Africa: The dispersal of the earliest technical systems reconsidered.*
Gabunia L., Vekua A., Lorkidpanidze D., Swisher C.C., Ferring R., Justus A., Nioradze M., Tvalchrelidze M., Antón S.C., Bosinski G., Jöris O., de Lumley M.A.,
García, N. & Arsuaga. J.L. *(2001). Ursus dolinensis. A new species of Early Pleistocene ursid from Trinchera Dolina, Atapuerca , Spain. C.R. Acad. Sci. Paris. 332, 717-725.*
Majsuradze G. & Mouskhelishvili A. *(2000). Earliest Pleistocene hominid cranial remains from Dmanisi, Republic of Georgia: taxonomy, geological setting, and age. Science 288, 1019-1025.*
Krings M., Stone A., Schmitz R.W., Krainitzki H., Stoneking M. & Pääbo S. *(1997). Neanderthal DNA sequences and the origin of modern humans. Cell 0, 19-30.*
Krings M., Geisert H., Schmitz R.W., Krainitzki H. & Pääbo S. *(1999). DNA sequence of the mitochondrial hypervariable region II from the Neandertal type specimen. Proc. Natl. Acad. Sci. U.S.A. 96, 5581-5585.*
Manzi G., Mallegni F. & Ascenzi A. *(2001). A cranium for the earliest Europeans: phylogenetic position of the hominid from Ceprano, Italy. Proc. Natl. Acad. Sci., USA98, 10011-10016.*
Parés J.M. & Pérez-González A. *(1995). Paleomagnetic age for hominid fossils at Atapuerca archaeological site, Spain.Science 269, 830-832.*
Rightmire G.P. *(1996). The human cranium from Bodo, Ethiopia: evidence for speciation in the Middle Pleistocene? J. Hum. Evol. 31, 21-39.*
Roberts M.B., Stringer C.B. & Parfitt S.A. *(1994). A hominid tibia from Middle Pleistocene sediments at Boxgrove, UK. Nature 369, 311-313.*
Roebroeks W. & van Kolfschoten T. Eds. *(1995). The Earliest Occupation of Europe. Proceedings of the European Science Foundation Workshop at tautavel (France), 1993. Leiden: University of Leiden.*
Vekua A., Lorkidpanidze D., Rightmire G.P., Agustí J., Ferring R., Maisuradze G., Mouskhelisvili A., Nioradze M., Ponce de león M., Tappen M., Tvalchrelidze M. & Zollikofer C. *(2002). A new skull of early Homo from Dmanisi, Geogia. Nature 297, 85-89.*
Wood B.A. & Collard, M. *(1999). The human genus. Nature 284, 65-71.*

Divulgation / Divulgación

Arsuaga J.L., *(2002). The Neanderthal's Necklace. Ed. Four Walls Eight Windows. New York.*
Arsuaga, J.L. *(1997). Faces from the Past, Archaeology (May/june), 30-33.*
Arsuaga, J.L. *(1993). Les hommes fossiles de la Sierra de Atapuerca, La Recherche 260 (december), 1399-1400.*
Arsuaga, J.L. *(1999). Una pelvis completa de la Sierra de Atapuerca, Mundo Científico 203 (Julio/Agosto), 69-72.*
Arsuaga, J.L. *(2000). Sociobiología de homínidos, Mundo Científico 214 (Julio/Agosto), 10-21.*
Arsuaga, J.L. *(2000). Europe's First Family, Discovering Archaeology (November/Dec).*
Arsuaga, J.L., Bermúdez de castro, J.M. & Carbonell, E. *(1994) La Sierra de Atapuerca. Los homínidos y sus actividades. Revista de Arqueología 159 (july), 12-25.*
Bahn, P.G. *(1996). Treasure of the Sierra Atapuerca. Archaeology (January/February), 45-48.*
Cervera J., Arsuaga, J.L., Bermúdez de Castro J.M. & Carbonell *(1999). Atapuerca. Un millón de años de historia. Madrid. Editoral Complutense.*
Gore, R. *(1996). The dawn of human Neandertals. National Geographic (January), 2-35.*
Gore, R. *(1997). The First Europeans. National Geographic (July), 96-113.*
Gutin, J.C. *(1995). Remains in Spain now reign as oldest Europeans. Science 269, 754-755.*
Kunzig, R. *(1997). Atapuerca.The face of an Ancestral Child. Discover (December), 88-101.*
Stringer, C. *(1993). Secrets of the Pit of the Bones. Nature 362, 501-502.*
Tattersall, I. *(1997). Out of Africa Again... and Again?, Scientific American April, 60-67.*

Internet

http://www.atapuerca.tv

AC HOTELS

GRUPO ARRANZ ACINAS

Construcciones BASANTE, S.L.

BEGAR

BENTELER

cabero RESTAURACIÓN

Cadbury Dulciora

Cámaras Castilla y León

Campofrío

cecale Confederación de Organizaciones Empresariales de Castilla y León

COLLOSA

CONABSIDE CONSTRUCCIONES

CPA CONSERVACIÓN DEL PATRIMONIO ARTÍSTICO

Ebro PULEVA GRUPO

El Corte Inglés

ERCOSA Restauración y Construcción

GRUPO FCC

FELIPE CALLEJA OBRAS Y CONTRATAS. S.L.

GADIS

GULLON

Helios®

Quesos EL PASTOR de la Polvorosa HIJOS DE SALVADOR RODRIGUEZ

IBERDROLA

IBERIA

grupo INDAL soluciones en iluminación

GRUPO iтevelesa

MICHELIN

nc Nicolás Correa

CORPORACION GRUPO NORTE

CONSTRUCCIONES RESTAURACIONES RAFAEL VEGA /L.

RESALTA restauración arquitectónica, láser y tecnologías avanzadas S.A.

SC GRUPO SAN CAYETANO

SOTO PARDO, S.A. EMPRESA CONSTRUCTORA

Telefónica

trycsa TECNICAS PARA LA RESTAURACIONES Y CONSTRUCCIONES S.A.

VALIN

VOLCONSA

ZARZUELA S.A. EMPRESA CONSTRUCTORA